トマトはどうして赤いのか?

身近な野菜を科学する

稲垣栄洋著

東京堂出版

まえがき

みなさんは野菜が好きですか？

私は特別、野菜好きという自覚はありませんでしたが、幼いときに好きな食べ物を聞かれると、ハンバーグでもカレーライスでもなく、「ジャガイモとエダマメとトウモロコシ」と答えていました。よく考えてみると、料理名ではなく食材、しかもすべて野菜です。

ちなみに嫌いな食べ物は「スイカ」でしたから、これも野菜でした。

皆さんは、好きな野菜は何ですか？　嫌いな野菜は何ですか？

最近では、野菜の味にこだわるレストランが増えています。また、新鮮でおいしい野菜をウリにする農産物の直売所も各地でにぎわいを見せています。

野菜を楽しむ機会は少なくありません。

野菜というと肉料理や魚料理に添えられる脇役のイメージがありますが、野菜もじっくりと味わうと、深みのある複雑な味がします。

何気なく食べている野菜の味にも、それぞれ意味があります。

たとえば、おいしい野菜を食べると甘味が感じられます。この甘味は、野菜が育つためのエネルギーです。野菜は光合成によって太陽エネルギーを糖分に変えて、たくわえています。これが甘味です。

野菜には旨味も感じられます。旨味の成分は、アミノ酸です。アミノ酸はたんぱく質となり、植物の体を作ります。植物の健康な体が、野菜の旨味なのです。

苦味や辛味もあります。苦味や辛味の成分は、植物が病原菌などから身を守るための物質です。

野菜が持つ、「育つ力」や「体を作る力」や「病気に負けない力」が、野菜のおいしさになります。こうした野菜のおいしさが私たちの体に入って、私たちのエネルギーとなり、体となり、病気に負けない力となるのです。

野菜の味を見ても、それなりの理由があります。私たちが毎日、食べている野菜にもまだまだ知らないことがたくさんありそうです。

どうして野菜は美容に良いのか？
トマトはどうして赤いのか？
タマネギは切り方で味が変わるって本当？
キャベツとレタスはどこが違う？
ネギの葉の表はどっち？

本書では、そんな身近な野菜の知られざるミステリーに迫ってみたいと思います。
さあ、どんな不思議が待っているでしょうか。それでは、野菜のなぞ解きを始めることにしましょう。

稲垣栄洋

二〇一二年七月

もくじ

トマトはどうして赤いのか？

身近な野菜を科学する

どうして野菜は美容に良いのか？

野菜を食べると健康になるとよく言われます。

野菜には、病気になりにくい健康な体を作るさまざまな成分が含んでいます。

直接、栄養になる栄養分以外のさまざまな機能性の成分は、総じてファイトケミカルと呼ばれています。

その代表的なファイトケミカルの一つに抗酸《こうさん》化《か》物質《ぶっしつ》があります。

植物の抗酸化物質は小じわや肌のしみを防ぐ美容効果から、動脈《どうみゃく》硬《こう》化《か》やガンなど病気の予防など、さまざまな効果を持っています。また、それだけではなく、老化現象を防ぐ効果まであるのです。

植物がもつ抗酸化物質は、主にビタミン類、カロチノイド類、ポリフェノール類があります。これらの物質は人間の体内では合成されないので、野菜や果物などの植物を食べて摂取するしかありません。

しかし、考えてみれば不思議です。植物が持っている栄養素は、植物自身が生きていくためのものです。それなのに、どうして野菜は、私たちの病気を防いだり、お肌を若々しく保つような物質まで持っているのでしょうか。

じつは、この理由には植物自身の生きるためのドラマが隠されているのです。

植物のまわりにはさまざまな菌がいて、常に植物の体内への侵入を狙っています。もちろん、植物も簡単にやられるわけにはいかないので、病原菌《びょうげんきん》の感染から逃れるために、さまざまな防衛手段を講じます。

その最も古典的な武器が、活性酸素です。

酸素呼吸する生物は、その過程で活性酸素が生じます。酸素は私たちの生存に欠かせないものですが、もともとは、あらゆるものを酸化させてさび付かせてしまう毒性の物質です。この酸素がさらに酸化力を増したものが活性酸素なのです。

植物は、体内で生成される有毒な活性酸素を有効利用して、病原菌を攻撃する術を身につけました。病原菌の存在を感知した植物細胞は、直ちに活性酸素を大量発生させて病原菌を攻撃します。これは、オキシデイティブバースト（酸素の大爆発）と呼ばれています。

はるか昔には、この活性酸素は攻撃力の高い武器だったのかもしれません。しかし、進化の進んだ病原菌には、もはやこんな古典的な武器は通用しません。

それでも植物が、大量の活性酸素を発生するのには意味があります。

活性酸素の発生が、緊急事態を知らせる信号となって、植物体内のさまざまな防御システムが稼動するのです。たとえば活性酸素の発生によって、まだ病原菌に侵されていない細胞はバリケードを作るかのように壁面を固くします。また、細胞内には抗菌性の物質が作られ臨戦態勢をとるのです。

こうして植物は、活性酸素によって身を守ります。しかし、自ら作り出したとはいえ、活性酸素は毒性物質ですから、長く体内にあれば植物自身の体にも害作用をもたらします。そこで、戦いが終わった後は、速やかに活性酸素を消去しなければなりません。

この活性酸素を除去する役割を持つのが、抗酸化物質です。

こうして植物は、活性酸素を生成したり、除去したりを繰り返しています。

人間の体も同じようなしくみを持っていますが、動くことができず環境を選ぶことのできない植物は、病原菌と戦うために、人間の体よりも活性酸素の生成や消去を活発に行っています。そのために、抗酸化物質を出し続けているのです。

人間の体で生成される活性酸素は、老化や病気の原因となりますが、野菜や果物から摂取した抗酸化物質は、私たちの体から活性酸素を消去するのを助けてくれるのです。

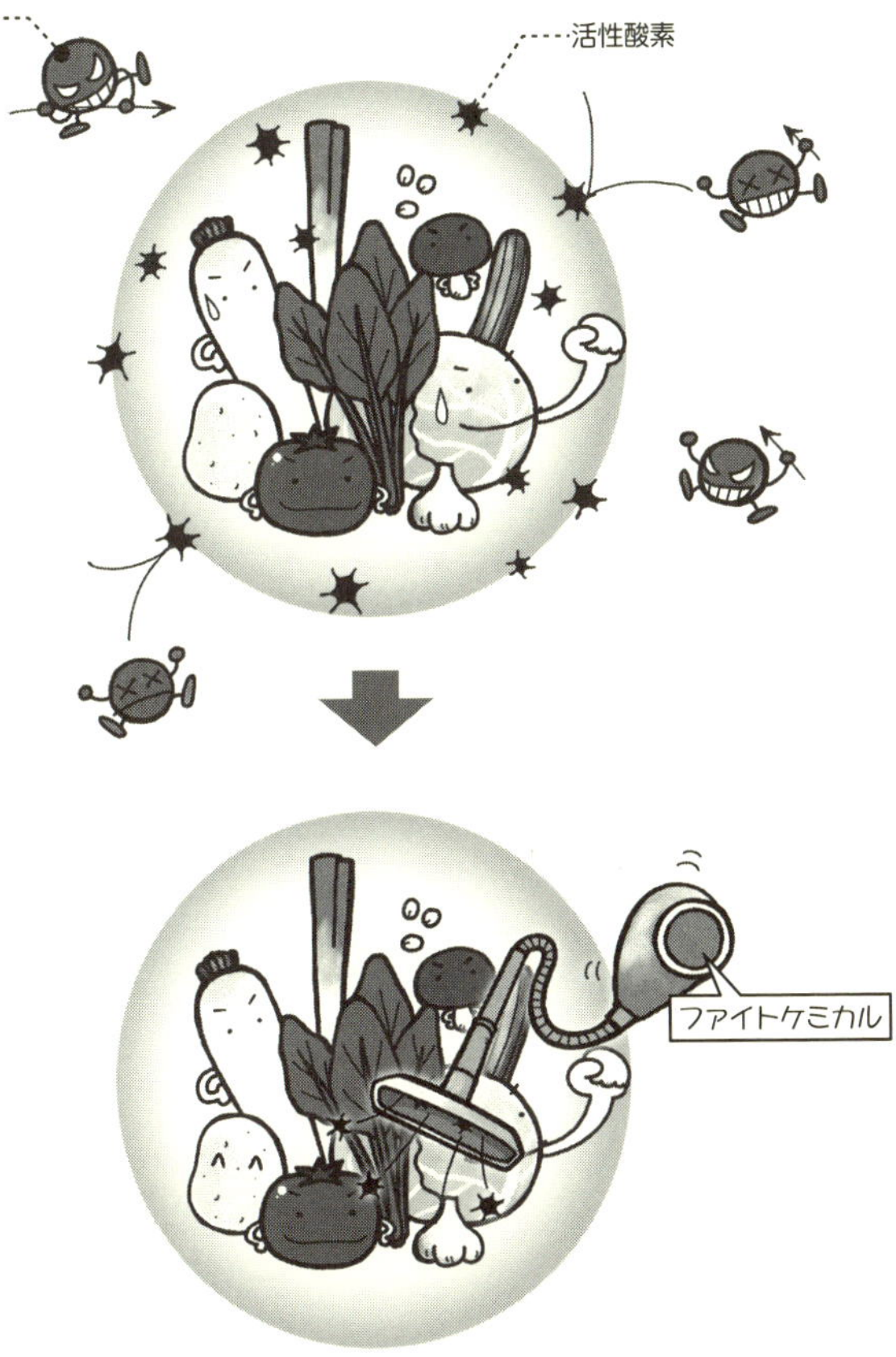

ファイトケミカルが活性酸素を片付けている

ジャガイモのダビンチコード　前編

映画『ダビンチコード』は、ある殺人事件をきっかけとして、レオナルド・ダ・ヴィンチの残した名画の暗号を解き明かし、キリストにまつわる秘められた謎に迫るという物語です。その中で、地下金庫を開く暗証番号として、「１２３５８１３」という数字が登場します。

この数字は、ある規則に乗っ取って作られたものです。その規則さえ理解できれば、あなたは忘れることなく、いつでも、この暗証番号を思い出すことができるでしょう。

それでは、この「１２３５８１３」の暗証番号が意味するものは何でしょうか。

暗証番号というと、誕生日などの年月日や、電話番号などを利用する人が多いかも知れませんが、この数字は違います。

じつは、この番号は「１、２、３、５、８、１３」という六つの数字が並んだ数列になっているのです。

この数列は、「１、２、３、５、８、１３、２１、３４、５５・・・」と続いていきます。

この一見すると不規則に並んでいるように思える数字は、どのような規則性に基づいて並んでいるのでしょうか。考えてみてください。

「1、2、3、5、8、13」という数列には、前の二つの数値を足した数が並んでいくという規則性があります。つまり、1＋2＝3、2＋3＝5、3＋5＝8、5＋8＝13というように、次の数字が作られていくわけです。

この数列は、フィボナッチ数列と呼ばれています。フィボナッチ数列は『算番の書』（一二〇二年）の中の「兎《うさぎ》の問題」から生まれたもので、イタリアの数学者、フィボナッチが考察したものです。

「何ともひねくれた数列」と思われるかもしれません。しかし、自然界を見ると、この数列に従っているものが、たくさんあるのです。

たとえば一つがいのうさぎが、一カ月で大人になり、二カ月目から一つがいの子どもを産んで増えていくようすを考えてみましょう。

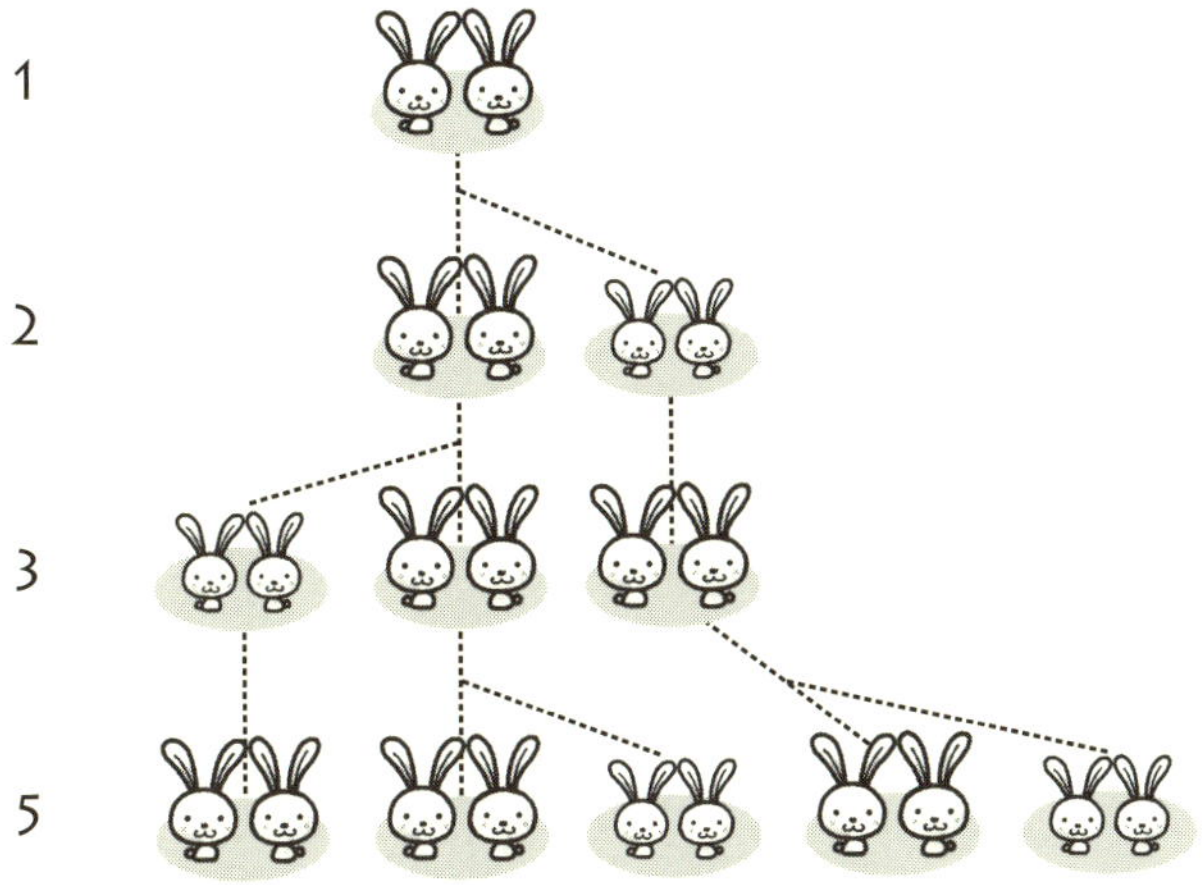

兎《うさぎ》の問題のフィボナッチ数列

一カ月目には一つがいのうさぎが、二カ月目には二つがいになります。三カ月目には、最初のつがいが一つがいのうさぎを産みますので、三つがいになります。これを繰り返していくと、四カ月目には五つがい、五カ月目には八つがいになります。このように、生物の増え方はフィボナッチ数列に従うのです。

それだけではありません。驚くことに、このフィボナッチ数列の並んだ二つの数字の比を取っていくと、次第に黄金比に近づいていくのです。黄金比とは、「一：一．六一八」の被率のことで、もっとも均整のとれた美しい比率と言われています。名刺の縦横比は黄金比で作られていますし、ミロのヴィーナスやパルテノン神殿なども、黄金比を取り入れて作られていると言います。

ジャガイモにも、この美しさを現す黄金比が隠されています。美しいようには見えないジャガイモのどこに黄金比が隠されているのでしょうか。

ジャガイモは、でこぼことした形をしており、へこんだところにジャガイモの芽があります。この芽は不規則に分布しているように見えますが、この芽の並び方もフィボナッチ数列に従っています。

ジャガイモの先端の方から、根元の方に向かってマジックで芽の位置を結んでみてください。

ジャガイモの先端はどっち？　と思うかも知れませんが、芽が詰まっている方が先端の部分です。その反対側を見ると、ジャガイモのへこんだ部分に、元の株とつながっていた細い茎のような名残りが見られることがあります。こちらがジャガイモの根元の部分です。

さて、先端から根元に向かって芽の位置をマジックで結んでいくと、うずまき模様のようになります。じつは、ジャガイモの芽は、らせんを描くように回転しながら順番についているのです。この芽と芽の間は、円周を五分の二周まわった角度でらせんを描いています。

この五と二という数字がフィボナッチ数列から導き出される数字なのです。

さらに、五分の二周まわっているということは、残りの角度は五分の三周になります。この五：三の比は、「一．六六六」となり、フィボナッチ数列の中でも、黄金比「一．六一八」に近似した数値です。

ジャガイモには、まだまだ数字の謎が秘められています。後編で、さらにくわしく謎に迫ってみることにしましょう。

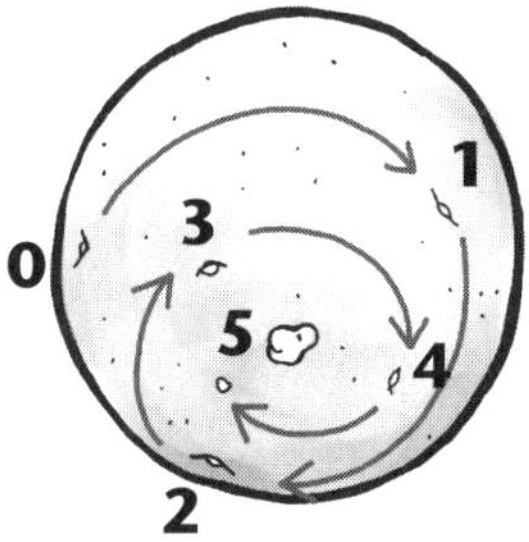

ジャガイモの芽は
五分の二周ずつ回っている

ジャガイモのダビンチコード　後編

ジャガイモは茎か根か？　というクイズがよく出されます。

芋という器官は茎や根が太ってできたものです。ジャガイモは茎か根か、なかなかややこしいですが、よく観察してみるとわかります。

サツマイモは芋のあちこちから細かい根が出ています。きれいに洗ってあっても、根の痕跡が残っているのを見ることができるでしょう。また、先端の細い部分から根っこが出ています。サツマイモは根が太ってできているのです。

ジャガイモにはサツマイモのような根が生えておらず、つるんとしています。そして、芋の先端にあるへこんだ部分からは、まず芽が出てきます。つまり、ジャガイモは茎が太ってできているのです。

ところで、植物の茎につく葉の位置は、でたらめについているわけではありません。

植物の葉は少しずつ葉の位置をずらしながらつけていきます。どの程度の角度でずれるかは植物の種類によって決まっています。

たとえば、三六〇度の二分の一の一八〇度ずつずれるものがあります。あるいは、三分の一の一二〇度ずつずれるものもあります。そして五分の二の一四四度ずつずれるものや、八分の三の一三五度ずれるものもあります。

1／2、1／3、2／5、3／8…。

そう、この分数の分母と分子は、それぞれが前項で紹介したフィボナッチ数列で並んでいるのです。植物の葉が、このような数列に従った規則性をもつのは、すべての葉が重なりあわずに効率よく光を受けるためや、茎の強度のバランスを均一にするためであると説明されています。

この数列のうち、ジャガイモの芽は、五分の二の角度、つまり一四四度ずつずれながららせんを描いています。

そして、ジャガイモの芽の位置は、先端にいくに

ジャガイモは茎サツマイモは根

従って、芽の位置が詰まってきます。これも植物の葉のつき方と、まったく同じです。また、ジャガイモを放っておくと、先端の方から芽が出てきます。やはりジャガイモは植物の茎としての特徴をもっているのです。

それにしても、植物が黄金比や複雑な数列に従っているというのは、何とも不思議です、自然の摂理の前では、人間の科学など小さな存在だということなのかもしれません。

目の前の名もないジャガイモさえも、私たちが遠く及ばない偉大な数学者なのです。

キャベツ畑で赤ちゃんが生まれる理由

子どもたちは好奇心のかたまりです。ときには大人たちがドキッとするような質問をぶつけてくることがあります。

「赤ちゃんは、どこから来るの？」

小さな子どもにそう聞かれたときに、あなたならどう答えますか？

大人たちはよく、「赤ちゃんはコウノトリが運んで来る」と子どもたちに答えます。この言い伝えは、もともとはヨーロッパから日本にもたらされたもので、ドイツから広がったとされています。

ヨーロッパにはシュバシコウという種類のコウノトリがいます。このシュバシコウは、塔の上や煙突の上など高いところにバスケットのような巣を作り、つがいで仲良く子育てをします。このほほ笑ましいようすから、シュバシコウは幸福を運ぶ鳥とされてきました。そして、煙突の上にバスケットのような巣を作ることや、仲良く子育てをしているようすから、いつしかコウノトリが、近くの泉から煙突へ赤ちゃんを運んで来ると言われるようになったのです。

また、ヨーロッパには、「赤ちゃんはキャベツから生まれる」という言い伝えもあります。

一九八〇年代に、キャベツ畑人形というのが、世界で大流行しました。

この人形はひとつひとつの顔や髪型、肌や目の色が異なります。その種類は六〇〇〇以上。そのため、世界に二つとない人形が、自分のものになるのです。さらにキャベツ畑人形は、ひとつひとつに誕生日と名前入りの出生証明書が付いてくるという手の込みようでした。

その生産量は一億体を超えているというから、すごい数です。日本の人口が一億二千万人ですから、ほぼ日本の人口と同じくらいのキャベツ畑人形が世界に存在していることになります。

まさに、このキャベツ畑人形は、「赤ちゃんはキャベツから生まれる」という言い伝えから作られたのです。

それでは、キャベツ畑で赤ちゃんが生まれるという伝説は、どのようにして作られたのでしょうか。それは、キャベツの生

赤ちゃんはキャベツ畑から産まれる

活史と深く関係しています。

キャベツはもともと冬に育つ野菜です。キャベツの原産地である地中海は、夏に乾燥し、冬に雨が降ります。そのためキャベツは、雨の降る冬に育つ生活史を選んでいるのです。そのため、日本でもキャベツは冬から春に掛けて栽培されます。そして、夏の間は、涼しい高原で栽培されるのです。

キャベツは、寒い冬の間は茎を伸ばさずに、葉っぱで光合成をした栄養分を根っこにたくわえていきます。そのため、キャベツは地面の下にぎっしりと根っこを張っています。

そこで、昔、スコットランドでは、ハロウィンの夜に恋人たちが目隠ししてキャベツを引き抜き、土がたくさんついていれば恋が実ると言う占いがあったそうです。

そして、そんな恋人たちの営みから、キャベツ畑で赤ちゃんが産まれるという言い伝えが作られていったのです。

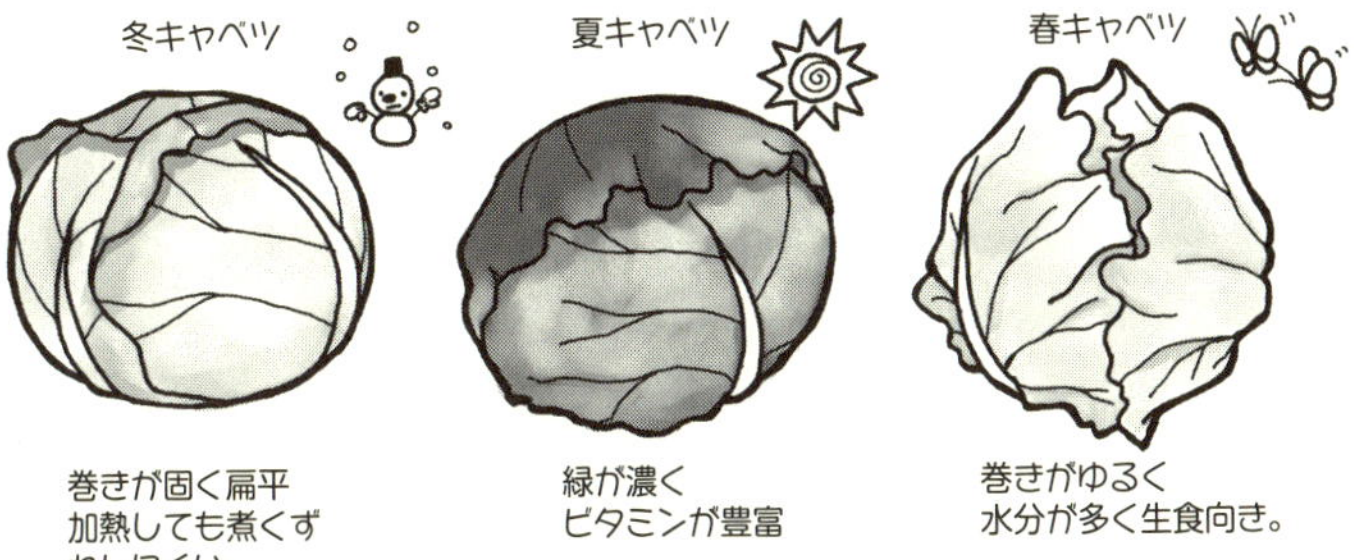
巻きが固く扁平
加熱しても煮くずれしにくい。
ビタミンが豊富

巻きがゆるく
水分が多く生食向き。

春キャベツと夏キャベツと冬キャベツ

カフェ・ラテとレタスのすてきな関係

良く似た言葉にカフェ・ラテという言葉と、カフェ・オレという言葉があります。

カフェ・ラテとカフェ・オレとは、どこが違うのでしょうか?

じつは、ラテ（latte）はイタリア語で牛乳という意味であり、オレ（au lait）はフランス語で「牛乳を加える」という意味です。

カフェはコーヒーという意味ですが、ラテとオレは、どちらもミルクを意味しています。つまり、どちらも「コーヒー牛乳」という意味だったのです。

もっとも、イタリアではコーヒーと言えばエスプレッソを良く飲みますので、カフェ・ラテにはエスプレッソを使うという特徴もあります。

ところで、この「ラテ」と語源を同じくする野菜があります。

それはレタスです。レタスは学名を「ラクチュカ（lactuca）」と言います。これは、乳を意味する「ラク（lac）」に由来しています。レタス（lettuce）という言葉は、この「lactuca」が語源です。

ちなみに乳糖を意味する「ラクトース（Lactose）」も「lac」に由来しています。また、乳牛を飼うことを酪農といいますが、この「酪《らく》」の漢字の音も「lac」に由来しているという説もあります。

それにしても、どうしてレタスは「乳」という意味から名づけられたのでしょうか。これはレタスの芯の部分を切ってみるとわかります。

レタスの芯の部分を包丁で少しだけ切ってみると、白い液体がにじみ出てきます。この白い液体がミルクのように見えるので、レタスはミルクに由来する名前をつけられたのです。

ちなみに、日本では、レタスのことを「チシャ」とも言いますが、これは、その昔「乳草（ちちくさ）」と呼ばれていたのが「ちさ」と略されるようになり、それが転じて「ちしゃ」と呼ばれるようになりました。日本語の「チシャ」も乳に由来する言葉だったのです。

この白い液を舐めてみると、みずみずしいレタスからは想像できないくらい、とても苦い味がします。この白い液はラクチュコピクリンと呼ばれる苦味物質で、レタスが、病原菌や害虫から身を守るためのものです。

レタスはキャベツのように包丁で千切りせずに、一枚一枚手でちぎります。なぜだかわかりますか。それは、包丁で切ってしまうと、レタスに含まれる白い液が、包丁の鉄と反応して褐色《かっしょく》の物質に変化してしまうからです。そのため、みずみずしいはずのレタスが、みんな茶色くなってしまうのです。

レタスを包丁で切らずに、手でちぎるのには、ちゃんと理由があったのです。

レタスを手でちぎっただけのサラダは、ハネムーンサラダと呼ばれます。

「なるほど、包丁を使わないハネムーンサラダは、料理が不慣れな新妻にふさわしい」と思うかもしれませんが、そうではありません。

「Lettuce alone（レタスのみ）」という英語の発音は、「Let us alone（私たちだけにして）」という風に聞こえます。そのため、ハネムーンサラダと呼ばれているのです。

一方で、レタスに含まれるラクチュコピクリンには、催眠を促す効果があることが知られています。ハネムーンサラダはぐっすりと快眠をするのには、良いかもしれませんが、もしかすると、新婚さんたちの甘い夜にはふさわしくないのかもしれません。

キャベツとレタスはどこが違う？

キャベツとレタスは、よく似ています。どちらも葉っぱを丸めて、玉のようになっています。しかし、植物学的には、キャベツとレタスとはまったく別の仲間です。キャベツは、菜の花と同じアブラナ科の植物ですが、レタスはキク科の植物なのです。

レタスの芯を切ると白い液が出てきます。何かに似ていると思ったら、これはタンポポも同じなのです。

野に咲くタンポポやノゲシの茎を折ってみると、レタスと同じように白い液が出てきます。タンポポやノゲシもまた、キク科の植物なのです。

レタスのことを「チシャ」というのは「乳草」という言葉に由来していましたが、タンポポやノゲシも、「乳草」の別名を持っています。

一方、キャベツは、菜の花と同じアブラナ科の植物です。

童謡「ちょうちょう」では「ちょうちょう　ちょうちょう　菜の葉にとまれ」と歌われますが、これはモンシロチョウが菜の葉にとまって、卵を産むようすを描写したものです。

モンシロチョウの幼虫は、アブラナ科の植物を餌としています。そのため、モンシロチョウはひらひらと飛びながら、アブラナ科の植物の葉っぱに一粒ずつ卵を産みつけていくのです。キャベツ畑でモンシロチョウが飛んでいる光景をよく見かけますが、のどかな春の風物詩であるモンシロチョウも、キャベツにとっては、やっかいな害虫なのです。

ところで、植物が何の仲間であるかは、花を見るとよくわかります。

キャベツやレタスに花が咲くの？　と思うかも知れませんが、キャベツやレタスも植物ですから、もちろん花は咲きます。冬の間は、玉のように固く葉っぱを丸めていたキャベツやレタスも、春になると葉っぱが開いて、花茎が伸びて花を咲かせるのです。

アブラナ科のキャベツは菜の花とそっくりな黄色い花を咲かせます。

結球する野菜では、ハクサイもキャベツと同じアブラナ科の野菜です。そのため、ハクサイも春になると菜の花のような黄色い花を咲かせます。

それでは、レタスはどのような花を咲かせるのでしょうか。

秋になると道端に花を咲かせるアキノノゲシというキク科の雑草があります。アキノノゲシはレタスのように結球することはありませんが、レタスとごく近縁の植物です。

レタスの花は、アキノノゲシの花をもっと小さくしたような感じの花です。小さな花をたくさん咲かせるホウキギクの姿は、レタスの花が咲いているようすに似ているかもしれません。

アキノノゲシやホウキギクなどのキク科の野草は、花が終わるとタンポポと同じように綿毛を風に飛ばします。

そして、レタスもまた、花が終わると、綿毛を作って風に飛ばすのです。

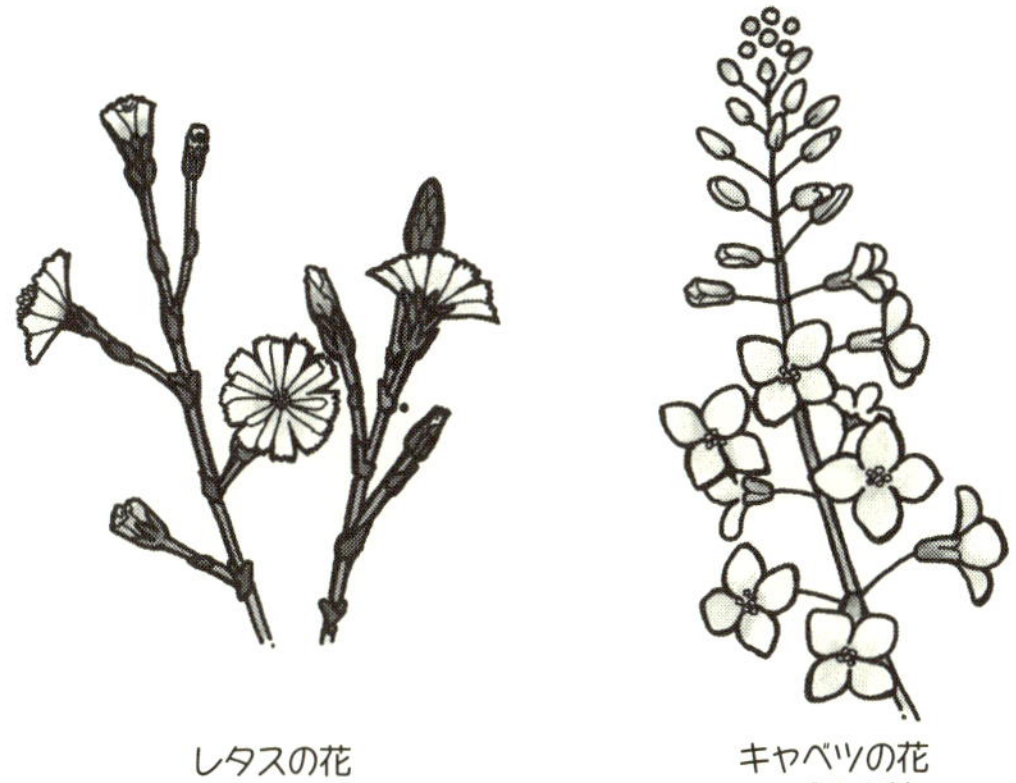

キャベツの花とレタスの花

キャベツ頭にシュシュ

「キャベツ」という言葉の語源は何でしょうか？

キャベツはラテン語の「頭」を意味する「caput（カプート）」という言葉に由来しています。そういえば、何となく頭に形が似ているような気もします。

半切りにしたキャベツの断面を見ると、まるでＭＲＩで撮影した脳の断面図のようです。

「caput」は、フランス語の方言で「caboche（カボシュ）」となり、英語で「cabbage（キャベッジ）」と変化しました。

「caput」は組織の頭である「caputain（キャプテン）」や頭にかぶる「cap（帽子）」、都市の頭を意味する「capital（首都）」などの語源にもなっています。

キャベツそのものが「頭」という言葉に由来していますが、キャベツは固いので、キャベツ頭（cabbage head）というと石頭を指すようになりました。

また、キャベツに由来する言葉として、キャベツと同じアブラナ科の植物を指す「cole（コール）」

があります。「coleslaw（コールスロー）」はキャベツサラダという意味です。

ドイツ北部ではキャベツのことを、「kohl（コール）」と言います。「kohl」はドイツでは苗字にもよく使われています。元ドイツ首相のヘルムート・コールはキャベツという苗字なのです。

一方、ドイツ南部ではキャベツを「kraut（クラウト）」と言います。ドイツのキャベツの漬け物である「ザワークラウト（sauerkraut）」は「酸っぱいキャベツ」という意味です。

キャベツを意味する「cole」や「kohl」は、仲間の野菜の名前にも使われています。青汁の原料となるケール（kale）やコールラビ（kohlrabi）、カリフラワー（cauliflower）などです。

じつは、これらの野菜はすべてキャベツとまったく同じ植物種なのです。キャベツの祖先に近い植物がケールです。人間は長い歴史の中でこのケールを改良して様々な野菜を作り出してきました。そして、ケールの葉が丸まるように改良したものがキャベツなのです。

一方、花の蕾を食べるようにケールを改良したものが、カリフラワーやブロッコリーです。

また、茎が太るように改良したものがコールラビですし、脇芽を食べるように改良したものがメキャベツです。

改良された部位の異なるこれらの野菜は、見た目はまるで違いますが、学名はすべて同じ「ブラシカ・オレラシア」です。つまり同じ植物種なのです、

キャベツとカリフラワーやコールラビの違いは、同じイネの中に「コシヒカリ」や「あきたこまち」

キャベツの仲間

という種類があるのと同じくらいの違いしかありません。

フランス語では「cole（コール）」を、「chou（シュー）」と言います、シュークリームは、キャベツにその形が似ていることから、名づけられたのです。

髪を結ぶ「chouchou（シュシュ）」も「chou（シュー）」に由来しています。キャベツはたくさんの葉でくるまれているので、「chou」には、大切に扱う愛しいものという意味があるのです。そのため、フランスでは恋人どうしが「chou」と呼び合ったり、愛しい子どもを「chou」と呼んでいるのです。

それにしても、キャベツはいったい何枚くらいの葉っぱがくるまっているのでしょうか。一枚一枚剥いてみることにしましょう。

数えてみると、おおよそ五十枚前後もの葉っぱが巻いています。そして最後に残った芯の部分が、キャベツの茎です。春になるとこの茎が伸びてキャベツは花を咲かせます。

キャベツの葉っぱは、この花の芽を大切に守っていたのです。

時代はホワイトからグリーンへ

31ページで紹介したように、青汁の原料となるケールと呼ばれる植物の仲間を祖先として、キャベツやブロッコリーなどが作られました。

さらにこのブロッコリーに改良を加えて作られたのがカリフラワーです。

ブロッコリーは緑色をしていますが、カリフラワーは白い色をしています。カリフラワーは、ブロッコリーが突然変異を起こしたものです。

色だけではありません、ブロッコリーはつぶつぶした蕾が見られますが、カリフラワーは蕾らしきものがまったく見えません。カリフラワーは、花蕾が軟化して癒着してしまっているのです。

しかし、カリフラワーも植物ですから、花が咲きます。

カリフラワーを畑で収穫せずに置いておくと、黄色い花を咲かせるのです。もっとも、その花は、奇形も多く不恰好で、見るも無残な感じです。

カリフラワーは、何とも奇妙な野菜です。カリフラワーはもっとも進化した野菜の一つであると言われています。それだけ人間が改良に改良を重ねてきたということなのです。

敏しょうなイノシシよりも、鈍足の太ったブタの方が改良が進んでいたり、野生のオオカミよりも、足の短いダックスフントの方が改良が進められているというのと、同じようなものでしょうか。

一昔前までは、ブロッコリーよりもカリフラワーの方が一般に食べられていましたが、現代ではブロッコリーの方がよく食べられるようになりました。

食生活の欧米化が進んだ頃、白いブロッコリーは上品で高級なイメージがあったのです。カリフラワーは、ホワイトアスパラガス、セロリとともに「洋菜の三白」といわれて人気を博しました。ところが、いつしか緑黄色野菜の健康イメージが広がるようになると、カリフラワー緑色の鮮やかなブロッコリーにとって代わられるようになってしまったのです。

同じような盛衰は、洋菜の三白と謳《うた》われたアスパラガスにも見られました。

昔は、アスパラガスといえば、真っ白なホワイトアスパラガスが人気でしたが、いつしかグリーンアスパラガスにとって代わられてしまったのです。

カリフラワーは、突然変異で白い色になったものですが、ホワイトアスパラガスは違います。ホワイトアスパラガスとグリーンアスパラガスは、同じ野菜ですが、ホワイトアスパラガスは、盛り土をして育てます、こうして、光が当たらないようにすることで、葉緑素のない真っ白なアスパラガスを作るのです。

「大きな玉ねぎ」の正体

「黄昏時《たそがれどき》　雲は赤く焼け落ちて　屋根の上に光る玉ねぎ～」

爆風スランプの一九八〇年代のヒット曲「大きな玉ねぎの下で」では「屋根の上の大きな玉ねぎ」が歌われています。

この「大きな玉ねぎ」は、東京の九段下にある武道館の屋根の上にあります。

武道館はその名のとおり、武道をするための場所ですが、一万席もの座席を用意できる大型会場であることから、コンサートホールとしても用いられます。

大人数を収容できる武道館でコンサートができるということは、日本のミュージシャンにとっても一流の証しとなる大切な場所です。

日本武道館の上のタマネギ

それでは、どうして武道館の屋根には「大きな玉ねぎ」が飾られているのでしょうか。

あの玉ねぎと良く似た飾りを、武道館以外の場所で見たことはありませんか？

たとえばお神輿の屋根を見ると、武道館と同じような玉ねぎが乗っています。また、神社へ渡る橋の欄干に玉ねぎが飾られていることもあります。

玉ねぎのように見えるあの飾りは「擬宝珠《ぎぼうし》」と呼ばれるものです。擬宝珠は、残念ながら玉ねぎをかたどったものではありませんが、ある野菜の形から作られました。いったい何でしょうか？

擬宝珠は別名を「葱《ネギ》」の台と書いて「葱台」と言います。

じつは、擬宝珠の形はネギ坊主を模しているのです。ネギ坊主というのは、ネギの花のことです。

それでは、ネギはどのような花なのでしょうか。

ネギは小さな花が集まって球状に咲きます。つぼみのうちは花全体が薄い膜に覆われています。この姿が僧侶に似ていることから、ねぎ坊主と名づけられました。そしてこの形が「擬宝珠」なのです。

そもそも「ぎぼうし」という言葉は「葱帽子《ねぎぼうし》」に由来するとも言われています。

古くからネギの花は神聖なものとされていました。

平安時代には、天皇など高貴な人が乗る輿は「葱の花」の形をした飾りがつけられており、葱花輦（そうかれん）と呼ばれていました。

美しい花は、他にいくらでもあるのに、どうしてネギの花がこんなにも大切にされていたのでしょうか。

ネギはもともと「葱《き》」と呼ばれていました。匂いが強いことから、「気《き》」に由来して名付けられたのです。ちなみにネギは学名を「アリウム（Allium）」と言いますが、これも強く匂いを意味する「アレル（alere）」に由来しています。

そして、ネギの強い匂いが邪気を払うとされていたことから、ネギの花は魔よけの飾りとして用いられていたのです。

ねぎ坊主が成長すると、やがて擬宝珠のモチーフとなったネギのつぼみの薄皮が破れて、いよいよ花が現れます。ところが、半透明の花びらは何とも粗末で、ほとんど目立ちません。ただ、突き出たおしべやめしべが姿を現すだけです。

そして、神聖な僧侶の頭にたとえられたねぎ坊主は、少年の愛らしいいがぐり頭のようになってしまうのです。

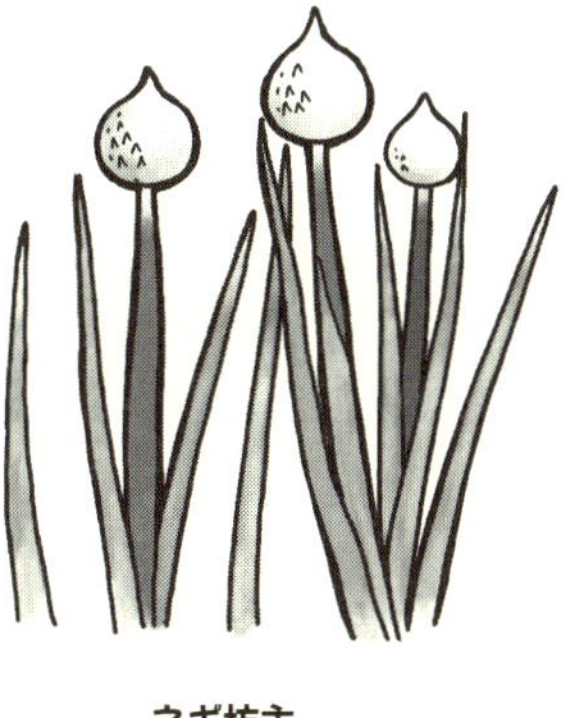

ネギ坊主

タマネギは切り方で味が変わる？

タマネギを切ると涙が出ます。

タマネギの細胞の中には、アリインという物質が入っています。このアリインには刺激性はありません。

ところが、タマネギを切ることにより、細胞が壊れて、細胞の中にあったアリインが細胞の外に出てきます。すると細胞の外にある酵素によって化学反応を起こし、アリシンという刺激物質に変化します。このアリシンが目を刺激するのです。

アリシンは殺菌活性があります。つまり、アリシンは、タマネギが病原菌や害虫に襲われたときに、身を守るための物質なのです。

もともと刺激物質を持っていると、タマネギ自身にも悪影響がありますので、無毒な原料物質として持っていて、それが病原菌や害虫によって細胞が破壊されたときに、刺激物質を瞬時に作りだすしくみになっています。

涙をこらえながらタマネギを切るのは大変ですが、タマネギを泣かずに切る工夫はあります。タマネギの刺激物質であるアリシンは温度が低いと揮発しにくい特徴があります。そのためタマネギを切る直前に冷蔵庫に入れて冷やしておけば揮発性物質《きはっせいぶっしつ》の発生を抑えることができるのです。

さらに、このアリシンは熱に弱く、加熱すると分解します。そのため、電子レンジで少し加熱してから、タマネギを切るのも一つの方法です。

タマネギは、縦切りにする場合と、横切りにする場合では、涙の出かたが違います。じつは横切りにしたほうが、涙が出やすいのです。

植物の構造は基本的に細胞が縦に積み上げたように並んでつながっています。植物繊維は、こうして細胞が縦につながったものです。植物は、こうして細胞を縦に並べることで、横からの力に対して折れにくいようにしているのです。

もちろん、タマネギの細胞も同じように縦に並んでいます。そのため、タマネギを縦切りにした場合は、縦に並んだ細胞と細胞とが離れるだけなので、細胞はあまり壊れないことになります。

ところが、横切りにすると細胞が切られ壊れていくので、刺激物質がたくさん出てきてしまうのです。もっとも、横切りにすると細胞が壊れるので歯ざわりがやわらかくなります。また、横切りにしたタマネギを水にさらすことによって、辛味成分が水に溶け出して、辛味がなくなります。そのため、タマネギをサラダにする時には横切りにする方が適しているのです。さらに、できるだけ細かく切って細胞を壊すと、辛味がなくなります。
一方、炒め物にする時は、縦に切ります。横に切ると細胞が壊れて細胞内の成分が染み出してしまいます。そのため、縦切りにして、できるだけ細胞を壊さずにして、噛んだときに細胞が壊れて味が出るようにした方がおいしくなるのです。

細胞を横に切った場合

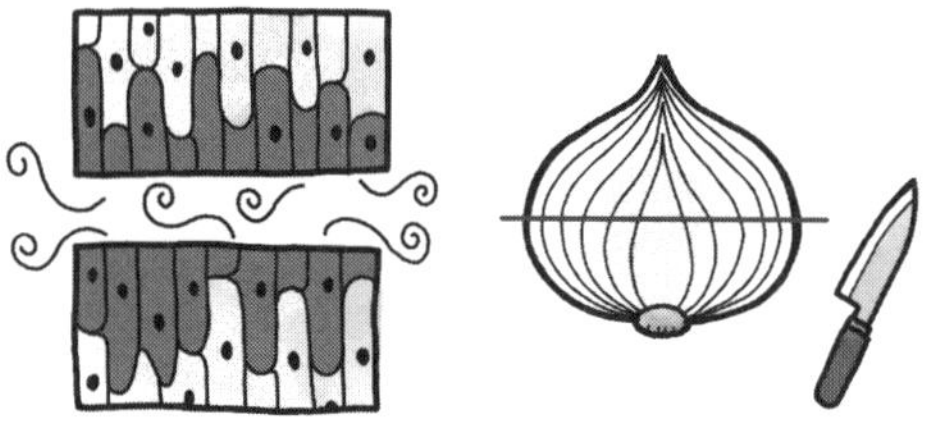

横に切ると細胞が壊れて辛味が外に出る

細胞を縦に切った場合

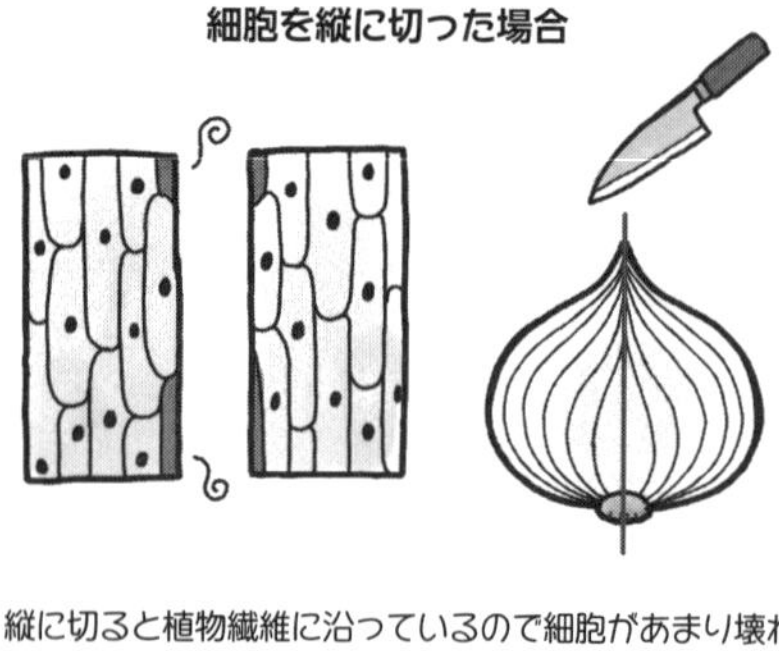

縦に切ると植物繊維に沿っているので細胞があまり壊れない。

ドラキュラはニンニクが苦手

吸血鬼ドラキュラ伯爵《はくしゃく》が苦手なものに十字架とニンニクがあります。ニンニクは、そのにおいがドラキュラに嫌われたのでしょう。古来、ニンニクは邪気《じゃき》を払うと信じられてきました。

ニンニクは、ネギやタマネギと同じ、アリウム属の植物です。

ニンニクのにおいの成分もタマネギと同じアリシンで、タマネギと同じように細胞の中にアリインをたくわえ、酵素反応によってアリシンを生成します。ニンニクの強いにおいも、外敵から身を守るためのものだったのです。

ニンニクを食べると精がつくと言われます。

紀元前のエジプト王朝時代に描かれたレリーフには、ピラミッドを作る労働者たちが、腰にタマネギやニンニクをぶら下げているようすが描かれています。ピラミッド建設の重労働に耐えるための強壮剤として、労働者にはタマネギとニンニクが支給されていました。何千年もの昔から、ニンニクを食べると精がつくと人々は知っていたのです。

それでは、どうしてニンニクを食べると精がつくのでしょうか。

ニンニクは強い殺菌力や抗菌力がある物質を含んでいます。もちろん、これは外敵から守るためですが、これらの物質は、人間の病原菌に対しても抗菌や殺菌効果を発揮するのです。

たしかに、病原菌がなくなれば、体は健康になります。しかし、精がついてますます元気になってしまうほどの効力があるのは、なぜなのでしょうか。

じつは強い殺菌作用を持つニンニクの成分は、大なり小なり多くの生物にとって有害なものです。そのため、ニンニクを食べると有害な毒を排除しようと人間の体内の免疫力は高まり、防御体制に入ります。そして、人間のさまざまな生理作用が活性化されるのです。

また、さらにはニンニクの成分に刺激された人体は、臨戦態勢を取り、体内のナチュラルキラー細胞の働きを強めて、病気に対する免疫力を高めます。

生きる力は、平穏な時よりも、困難にあった時に、その潜在的な力が発揮されます。ニンニクは、人間の体を適度に刺激して、眠っている人間の防御能力を呼び覚ます働きをするのです。

まさに毒と薬は紙一重ということなのでしょう。ニンニクはこうして、さまざまな薬効を私たちの体にもたらしてくれるのです。

ニンニクやタマネギの刺激成分であるアリシンには、悪玉コレステロールを減らして血をきれいにし、血液の流れをさらさらにする働きもあります。

いかにもドラキュラの喜びそうな話ですが、あいにくドラキュラ伯爵はニンニクが苦手なのでした。

ネギの葉の表はどっち？

良寛和尚《りょうかん》の俳句に「裏を見せ 表を見せて 散るもみじ」という句があります。

葉っぱには表と裏があります。

葉の表側は、葉緑体《ようりょくたい》が集まり、光を受けて光合成を行います。逆に、葉の裏側は、気孔が多くあり、ガス交換をする働きをしています。

それでは、ネギはどうでしょうか。輪切りにされたネギは、輪のように丸くなっています。ネギの葉は、中が空洞で筒のようになっているのです。この筒のようになったネギの葉には、表と裏があるのでしょうか。

もちろん、ネギの葉にも表と裏があります。

この筒状の葉に裏があるとしたら、葉の裏は筒の内側でしょうか。それとも、外側でしょうか。

じつは、筒の外側の見えている部分が葉の裏側で、筒の内側が表側なのです。

ふつうに考えれば、外側が表で、内側が裏になりそうです。どうして、外側が裏になるのでしょうか。

植物の葉は、開く前には茎に沿ってついています。この葉が展開すると茎について内側にあった方が上側になり葉の表となります。逆に展開する前に外側にあった方は、葉が展開すると下になり葉の裏となります。つまり外側が葉の裏となるのです。

ネギの葉は、内側に丸まった葉の先がつながって円筒状になったものです。だから内側が表になるのです。

両手で筒を作ると、表側の手のひらが筒の内側になると考えてみると良いかもしれません。

そう言えば、ネギの葉は、外側よりも、内側の方が、緑色が濃く葉の表側のような感じがします。

また、ガス交換を行う植物の気孔は、葉の表側よりも裏側に多い特徴がありますが、ネギの葉を調べてみると、葉の内側よりも外側に気孔が多く分布しています。つまり、形態的にも外側が葉の裏側なのです。

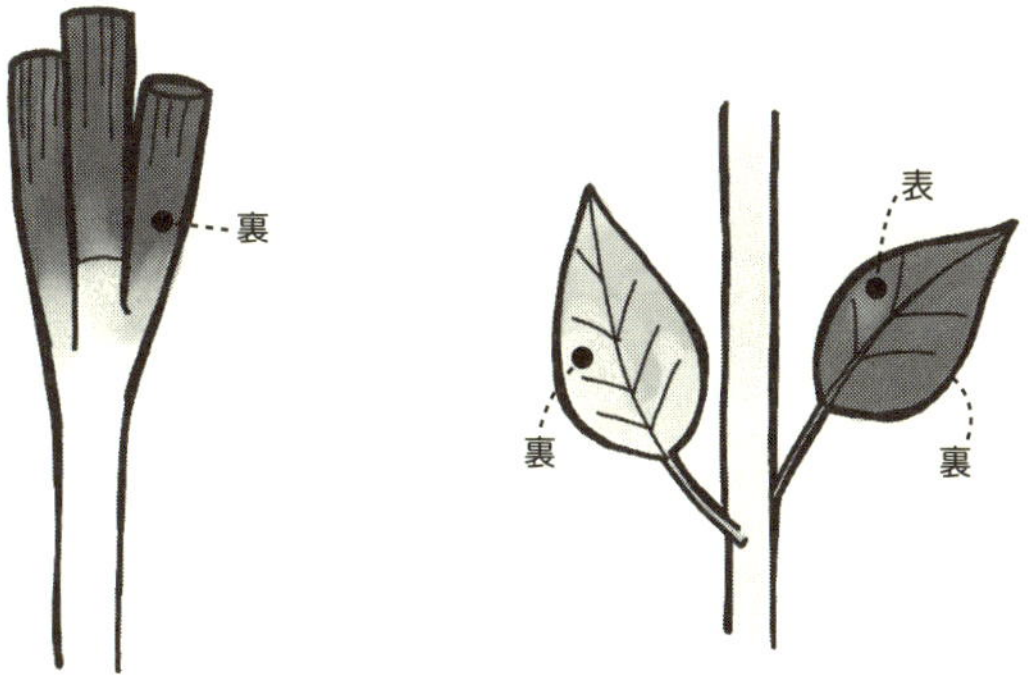

ネギの葉は外側が裏になる

この筒状になった葉の、根元の部分が太ったものが、タマネギの玉です。

タマネギの玉は、俗に「球根」と呼ばれますが、根が太ったものではありません。また、専門的にはタマネギの玉は、「鱗茎《りんけい》」と呼ばれますが、茎が太ったものでもありません。

じつは、タマネギの玉は、栄養分を蓄えるために葉が変化したものなのです。

タマネギを縦に半切りすると、その構造がよくわかります。

縦に切った断面で見ると、一番下の基部のところにわずかに芯があります。この短い芯がタマネギの茎の部分です。そして、その短い茎を中心に、肥大した厚い葉が層状に重なって丸いタマネギを形づくっているのです。

短い茎から、葉がたくさん出ているようすは、キャベツの断面図とまったく同じです。

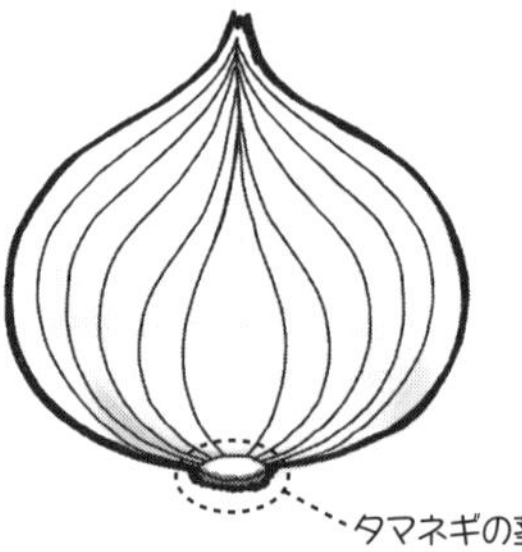

関西のうどんと関東のそば

エスカレーターに乗るときに、東京では右側を空けるのに対して、大阪では左を空けます。狭い日本、東京と大阪が新幹線でわずか二時間半で結ばれる現代であっても、関東と関西では色々と違いがあるものです。

関東と関西とでは食べ物にも違いがあります。関東の雑煮は角餅なのに対して、関西では丸餅ですし、いなり寿司は関東では四角で関西では三角です。カレーに入れる肉も関東では豚肉なのに対して、関西では牛肉です。

そば好きか、うどん好きかも関東と関西で分かれます。関東ではそば屋が多いのに対して、関西ではうどん屋がたくさんあります。

荒涼とした火山灰土壌が広がる関東台地では、やせ地に育つソバが盛んに作られました。そして、関東の濃口醤油と相性の良いソバは江戸のグルメとなっていったのです。

一方、関西では、瀬戸内の温暖で雨が少ない気候が小麦の栽培に適していたので、品質のよい小麦が作られました。そして、香りが良い上質なうどんが作られたのです。

そばの薬味には、香りの強い白ネギが良く合います。これに対してうどんにはやわらかな青ネギが良く合います。

じつは、ネギも関東と関西とでは、大きな違いがあります。関東では白ネギが食べられるのに対して、関西では青ネギが食べられるのです。

関東の人が「関西人はケチだから青いところまで食べる」といえば、関西人も「東京の田舎者は白いところまで食べる」と言い返します。

白ネギは緑の葉の部分は捨てて、白い葉鞘の部分を食べます。一方、青ネギは白い葉鞘の部分は捨てて、緑の葉の部分を食べます。関東と関西とでは、食べる部分と捨てる部分が逆なのです。

最近では、関東でも関西でも白ネギと青ネギが売られていますが、なかなか文化の溝は埋まらないらしく、関西の

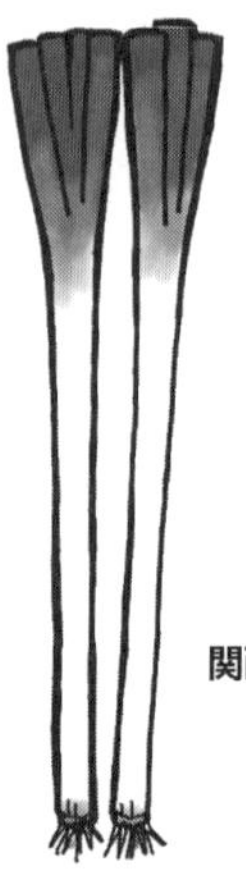
関西の青ネギ

関東の白ネギ

スーパーでは「このネギは白いところを食べます」と白ネギの食べ方の説明がされているのを見かけます。

もともと白ネギは寒さに強いので中国大陸北方の寒い地方で栽培されていました。これに対して、青ネギは暑さに強いので中国大陸南方の暖かな地域で栽培されていたのです。

白ネギも青ネギも、奈良時代には日本に伝えられて栽培されていました。

白い部分が長く伸びた白ネギは、長ネギと呼ばれます。

もともとネギは、「キ（葱）」と一文字で呼ばれていましたが、土の中にある白い部分を根に見立てて、根を食べることから「根葱《ネギ》」と呼ばれるようになったのです。

ちなみに、葉を食べることから「菜葱《ナギ》」と呼ばれていた植物は、今ではコナギという名で雑草に格下げされて、駆除されています。

寒い地方で栽培される白ネギは、もともと保温のために、ネギの成長にあわせて土をかぶせて栽培しました。こうして土の中にある光の当たらない部分が白く伸びて白いネギができるのです。

関東平野は、火山灰土壌なので、土を深く掘ったり、土をかぶせたりするのが容易にできます。そのため、白ネギの栽培に適していたのです。

こうして関東では白ネギが栽培され、温暖な瀬戸内海を持つ関西では青ネギが栽培されるようになったのです。

トマトはどうして赤いのか？

グリーンだけのサラダよりも、赤いトマトを添えると、急に美味しそうに見えてきます。野菜サラダには彩りが大切です。そのため、トマトの他にも、ニンジンや紫キャベツの千切りを入れたり、パプリカや赤タマネギなどが彩りとして添えられます。

サラダばかりではありません。お好み焼きや牛丼には赤い紅ショウガが添えられますし、ステーキにはニンジンのグラッセを添えて、彩りを良くします。

赤色は人間の副交感神経を刺激して、食欲をかき立てる作用があります。そのため、赤で彩ると料理が引き立つのです。

知ってか知らずか、飲食店などでは、赤色を巧みに配色しています。

ハンバーガーや牛丼のファストフード店の看板は、赤系統の色をしています。また、中華料理店の内装も赤い色をしています。中華料理店に入ると、食欲がそそられるのは、おいしそうなにおいのせいばかりではないのです。また、おでんや焼き鳥屋の提灯も、やっぱり赤い色をしています。

これが真っ青だったら、と想像してみると、少しげんなりしてしまいます。

どうして、私たちは赤い色を見ると食欲がかき立てられるのでしょうか。

それは、赤い色は熟した果実の色だからです。

植物が果実をつけるのは、鳥などに食べさせるためです。鳥は熟した果実といっしょに種子も食べてしまいますが、食べられた種子は、消化されることなく鳥の消化器官を通り抜け、糞に混じって外に排出されるのです。この間に、鳥は移動しているため、種子は遠くへばらまかれることになります。動けない植物は、こうして鳥の力を借りて分布を広げているのです。

波長の長い赤色の光は、他の色の光に比べて、遠くまで届きやすい性質があります。ですから、「止まれ」の信号は遠くからでも認識しやすい「赤色」と決められているわけです。同じ理由で、植物の果実は、遠く

赤色はおいしい色

にいる鳥にもわかるように、赤くなることを選んだのです。

また、植物は緑色をしているため、緑色の対極色である赤色は、特に目立ちやすくなります。

これに対して、熟していない果実は、葉っぱと同じ緑色をしていて目立ちません。また、甘味はなく、むしろ苦味を持っています。

これは、種子が未熟なうちに食べられては困るので、苦味物質を蓄えて果実を守っているのです。やがて種子が熟してくると、果実は苦味物質を消去し、糖分を蓄えて甘くおいしくなります。そして、果実の色を緑色から赤色に変えて食べ頃のサインを出すのです。

「緑色は食べるな」「赤色は食べてほしい」これが、植物の果実が鳥と交わした色のサインなのです。森の果実を食べていた私たちの祖先であるサルにとっても、果実の色は重要でした。赤色は、おいしい果実の色です。そのため、私たちも赤色を見ると食欲がそそるのです。

熟したトマトもまた、いかにもおいしそうな真っ赤な色をしています。ところが、新大陸からヨーロッパに持ち込まれた当初は、毒があると言われて嫌われていました。

トマトと同じナス科の植物は有毒植物が多いことが、その理由の一つですが、余りにも鮮やかな赤色が人々に毒々しいと思われたのです。

じつは果実は赤く色づくとはいっても、トマトのように鮮やかな赤色に色づく果実は多くはありません。植物の果実が持つ色素は、主には赤紫色のアントシアンと橙色のカロチノイドがあります。ブドウやブルーベリーの紫色はアントシアンによるものです。また、カキやミカンの橙色はカロチノイドです。さまざまな果実は赤い果実を夢見ながら、紫色や橙色の色素を使って、少しでも赤色に近づけようとしているのです。

リンゴは真っ赤なイメージがありますが、よく見ると赤色というよりは赤紫色です。リンゴは紫色のアントシアンと橙色のカロチノイドの二つの色素を巧みに組み合わせながら、苦労を重ねて赤色を出しているのです。

ところが、トマトはリコピンという真っ赤な色素を持っています。このリコピンによって実現したあまりに鮮やかな赤色は、人類が食用としてきた果実の中では、それまで見たことの少ない色でした。そのため、この世のものとは思えない鮮やかな赤色の果実を、人々は「毒々しい」と感じたのです。

緑色の実の真実

これまで紹介してきたように、熟した実は鮮やかに色づきます。

ところが実を食べる野菜なのに、緑色のままのものがあります。

たとえば、キュウリもそんな野菜の一つです。キュウリは緑色をしています。じつは、私たちが食べているキュウリは、まだ熟し切っていない未熟な実なのです。

キュウリも熟せば鮮やかに色づきます。野菜畑で収穫されなかったキュウリは、丸々と太り、黄色く色づくのです。この黄色い姿が、キュウリ本来の姿です。

キュウリの名前は、黄色いウリという「黄うり」に由来するとされています。実際に、大昔は黄色く熟したキュウリを食べていました。ところが、マクワウリなど、もっとおいしいウリが中国から伝わると、熟したキュウリは食べられなくなりました。

今のような未熟なキュウリが日本で食べられるようになったのは、江戸時代以降のことです。

ピーマンも緑色をしています。これも未熟な実です。ピーマンは熟すと真っ赤に色づきます。その姿はトウガラシによく似ています。

それもそのはず、じつは、ピーマンとトウガラシは植物としては、まったく同じ種類なのです。ピーマンは辛味が少なくなるようにトウガラシを改良したものです。そもそもピーマンという言葉は、フランス語でトウガラシを意味する「ピマン」に由来しています。

未熟な果実であるピーマンは、苦味を持って種子を守っています。

子どもたちの味覚は、熟した果実の味である甘味を好み、未熟な果実である苦味を嫌がります。子どもたちが苦いピーマンを嫌がるのは、正常な感覚なのです。ところが、複雑な味覚を求める人間の大人たちは、苦味がおいしいといって、わざわざ未熟なピーマンを食べるようになりました。ピーマンと子どもたちにとっては、ずいぶんと迷惑な話です。

赤く熟したピーマンは、苦味も消えて甘くなります。ピーマンと同じ仲間で、熟した状態で食べるパプリカも鮮やかに色づいていますし、甘い味がします。

ニガウリも未熟な実で食べられます。その名のとおりニガウリが苦いのは、未熟な実を食べられないようにしているのです。

ニガウリは熟すと鮮やかな橙色に色づき、苦くなくなります。それどころか、実が裂けると顔を出す種子のまわりの赤いゼリー物質は、甘い味がします。この橙色の実や赤いゼリー物質が、本当はニガウリが食べてほしい部分だったのです。

このように、野菜の中には未熟な実のまま食べる野菜が少なくありません。かと思うと、完熟しても緑色のままの実があります。

スイカやカボチャです。スイカやカボチャは熟しても緑色をしています。ただ、スイカは割れると中は鮮やかな赤色をしていますし、カボチャの果肉も鮮やかな橙色をしています。スイカやカボチャは、大きな果実が割れてから、中の果肉と種子を鳥に食べさせるために、内部が鮮やかに色づいているのです。

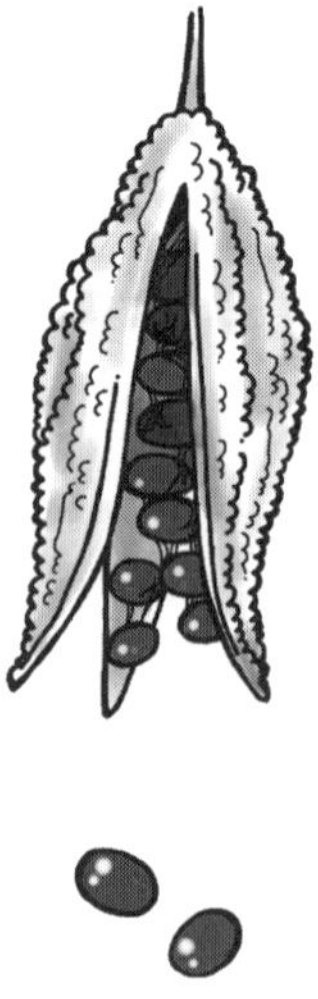

熟したニガウリの種子のまわりは甘い

赤い野菜の謎１　トウガラシはなぜ赤い？

植物の果実が赤くなるのは、鳥を呼び寄せて、果実を食べさせ、鳥に種子を運んでもらうためでした。ですから、未熟な果実は緑色で苦い味がするのに対して、熟した果実は、甘くなるのです。

ところが、赤く熟しているのに、甘くない実があります。

トウガラシです。トウガラシは真っ赤な色をしているのに、甘くありません。それどころか、食べるととても辛い味がします。

「赤色は甘い」。これが自然界で植物が約束したメッセージでした。ところが、激辛ブームの昨今、スナック菓子やラーメンなど激辛の食品はいかにも辛そうな赤色でデザインされています。いまや赤い色は「辛い」をイメージする色になりつつあります。

トウガラシは、「赤は甘い」という悠久の歴史以来の大原則を覆してしまった野菜なのです。

トウガラシも未熟なうちは、緑色をしています。しかし、熟すと赤くなります。

ということは、トウガラシが赤いのも「食べてほしい」というサインなのでしょうか？

もちろん、トウガラシが赤くなるのも食べてもらうためです。ただしトウガラシは、食べてもらう相手をえり好みしているようです。

サルのような哺乳動物は、辛いトウガラシを食べることができません。

ところが鳥は、トウガラシを平気で食べることができます。鳥は、トウガラシの辛み成分であるカプサイシンを感じる受容体がないため、辛さを感じないのです。鳥にとっては、トウガラシも、トマトやイチゴと同じように甘い果実なのかも知れません。

トウガラシは、種子を運んでもらうパートナーとして動物ではなく鳥を選びました。

鳥は大空を飛び回るので、動物に比べて移動する距離が大きいので、より遠くまで種を運ばせることができます。

また、鳥は果実を丸飲みするので、動物のようにバリバリと種子をかみ砕くこともありませんし、動物に比べると消化管が短いので、種子は消化されずに無事に体内を通り抜けることができます。

そのため、トウガラシは、動物に対しては忌避反応を起こさせるのに、鳥にはまったく感じさせないという、絶妙な防御物質を身に付けたのです。

こうして、トウガラシは動物に食べられないように進化しましたが、意外なことに、辛いものを好んで食べる動物が現れました。

人間です。

人間は、辛い辛いと汗をかきながらも、辛い物を喜んで食べます。これは、トウガラシにとっては予期せぬ幸運でした。

トウガラシの原産地は中南米ですが、いまや人間は鳥以上の距離を移動して、世界中にトウガラシの種をまき、トウガラシを育てています。

遠くへ種を運ぶという戦略からすると、トウガラシはもっとも成功した植物の一つなのかもしれません。

赤い野菜の謎2　ニンジンはなぜ赤い？

これまで紹介したように、植物の果実が赤くなるのは、鳥に目立たせるためでした。

ところが、ニンジンは土のなかにあるのに、赤くなります。鳥が見るわけでもないのに、どうしてニンジンは鮮やかな赤い色をしているのでしょうか？

じつは、ニンジンは、もともとは紫色をしていました。その後、紫色の色素のない黄色のニンジンが生まれました。そして一五世紀のオランダで、それまでの黄色の品種から私たちになじみの深いオレンジ色の品種が改良されたのです。

人は赤い色に食欲をそそられます。肉に添えたり、スープに入れたりしたときに、鮮やかなオレンジ色のニンジンはおいしそうに見えます。そのため、次第にオレンジ色のニンジンが広く栽培されるようになったのです。

ところで、日本の昔話ではニンジンが赤くなった理由をこう説明しています。

昔、ニンジンとダイコンとゴボウが風呂を沸かして入ることになりました。最初に入ったゴボウは、沸きたてのお風呂が熱いので、泥んこのまま飛び出してしまいました。つぎに入ったニンジンは、熱いのをがまんして浸かっていたので真っ赤になってしまいました。最後にダイコンが入るころには、お湯もちょうどよい湯加減になっていたので、ダイコンはゆっくりお風呂に入り、体もきれいに洗いました。そのため、ゴボウは泥んこのままで、ニンジンは赤くなり、ダイコンは白くなったのです。ヨーロッパからニンジンが伝わる以前は、日本ではオレンジ色ではなく、赤色の強い品種を作っていました。

昔ながらの金時ニンジンを見ると、オレンジ色ではなく、お風呂でのぼせたような鮮やかな赤い色をしています。

ニンジンのオレンジ色はカロテン（カロチン）という色素によるものです。ニンジンはカロチンを豊富に含んでいます。そもそもカロチン（carotene）という物質の名前は、ニンジンの英名のキャロット（carot）に由来しています。

一方、赤い東洋系のニンジンは、カロテンをあまり含んでいません。赤いニンジンの色素はトマトやスイカと同じリコピンという赤い色素です。また、紫色のニンジンはアントシアニンという色素を含んでいます。

それにしても土の中にあるニンジンが、どうして鮮やかなオレンジ色や赤色や紫色の色素を持っているのでしょうか。

カロテンやリコピン、アントシアニンなどは色素というだけでなく、さまざまな機能を備えた成分でもあります。たとえば、これらの色素は抗菌作用があります。また、抗酸化機能があり、活性酸素の発生を抑えます。

抗菌活性や抗酸化活性があるこれらの色素は、病原菌との戦いに供えて、外側の部分に多く存在しています。「ニンジンを料理するときは、できるだけ薄くむいたほうが良い」と言われるのは、皮をうすく剥いた方が、これらの成分を豊富に摂取できるからなのです。

植物はさまざまな成分を作りだしますが、それぞれの成分を生産するには、それなりにコストが掛かります。そのため、植物は一つの物質でさまざまなことができるように、多機能な物質を作るのです。

果実や花を彩る色素としての機能を持ち、抗菌活性や抗酸化活性もあわせ持つカロテン、リコピン、アントシアニンなどは使い勝手が良いので植物たちがよく生産する物質です。

ニンジンは、根を鮮やかにする必要はありませんが、根を守るためにこれらの物質を生産した結果、図らずもその根が、オレンジ色や赤色に発色しているのです。

ウサギはニンジンが好き？

ウサギというと、ニンジンが大好きというイメージがあります。ウサギのイラストにはニンジンが欠かせません。

ところが実際には、ウサギはニンジンが好きというわけではありません。草原に棲《す》む野生のウサギは草を主な餌にしています。

草は繊維《せんい》が固く、餌としてはけっして恵まれたものではありません。そのため、草食動物は、さまざまな工夫で、栄養分の少ない草から栄養を摂取しています。

たとえば、ウシやウマは四つの胃を使い、そこに棲みついている微生物に分解させることによって、繊維を分解して栄養分を吸収します。また、ウマやウサギは、発達した盲腸で微生物が繊維を分解し、栄養分を吸収します。

こうして栄養分の少ない草を餌にしているウサギが、ニンジンを食べ過ぎると、栄養過多になったり、下痢を起こしたりしてしまうのです。

それでは、どうしてウサギはニンジンが好きというイメージになってしまったのでしょうか?

じつは、ウサギのイラストを描くときに、草や干し草を食べている姿よりも、赤いニンジンを食べている方が、色合いもよく目立ってわかりやすいので、ニンジンを食べるウサギが描かれるようになったようです。

ちなみに、ウサギとニンジンというと、ピーターラビットを思い出しますが、ピーターラビットが食べているのは、ニンジンではなく、真っ赤なダイコンです。ヨーロッパでは日本のように白くて大きいダイコンではなく、二十日ダイコンのように赤くて小さいダイコンが栽培されています。

イラストの色合いが良ければ、赤いニンジンでも、赤いダイコンでも、どちらでも良かったのです。

ところで、ニンジンのイラストを描くにはちょっとしたコツがあります。

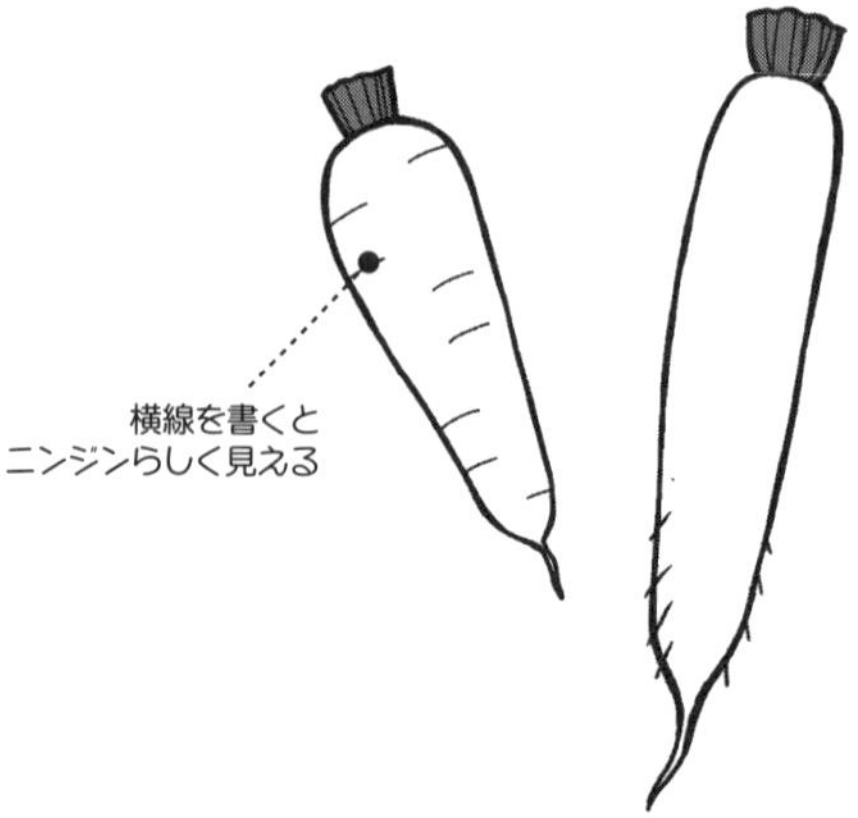

ニンジンとダイコン

ダイコンとニンジンの絵を描いてみてください。色を塗らないと、ダイコンとニンジンとは良く似ています。

それでは、ニンジンに何本か横線を描いてみてください。

横線を書くと、急にニンジンらしくなったでしょう。

実際に、ニンジンを見ると表面に横線があります。この横線は何なのでしょうか。

これは、細い根っこが生えていた跡です。この根っこの跡は、でたらめに出ているわけではありません。根っこの痕跡を見ると四方向に並んでいることがわかります。

ダイコンにも同じような根の痕跡がありますが、ダイコンは線のようにならず、点が並んでいます。

ちなみにダイコンの根の痕跡は二方向に並んでいます。

ニンジンを輪切りにして断面を見ると、木の年輪のような同心円があり、内側の芯の部分と、外側の部分とに分かれているのがわかります。

芯の部分が、根っこで吸った水を運ぶ導管がある「木部」と呼ばれる部分です。外側の部分が栄養分を運ぶ師管がある「師部」と呼ばれる部分です。

次にニンジンの横線のところに包丁を当てて、ニンジンを縦に切ってみてください。よく見ると、横線のところから、内側に根が伸びていて、木部と師部の境目にある形成層までつながっているのがわかります。

ところが、ダイコンを輪切りしてみても、ニンジンのように明確に同心円は見られません。ニンジンは主にこの形成層の外側の部分が肥大して大きくなりますが、ダイコンは形成層の内側が肥大しています。そのため、ダイコンの形成層は皮のごく近くにあり、目立たないのです。

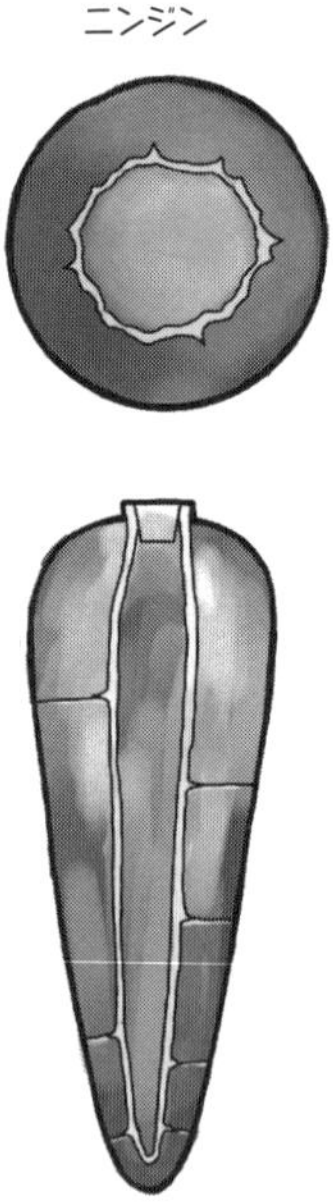

輪切りにした断面図と縦に切った断面図

キュウリのノリ巻きを河童巻きという理由

「世界一栄養のない野菜」としてギネスブックに掲載されている野菜が、キュウリです。キュウリは、九五％以上が水分です。

水分の多いウリ科の野菜は、昔から水と関わりの深い存在とされてきました。

昔話では、鬼がウリを地面に打ち付けると、ウリの中から大水が沸き出て天の川になったとか、縦に切らなければならないウリを横に切ったところ、水が噴き出て天の川になったとも言われています。このウリはマクワウリの仲間です。そして、マクワウリは、水神などの夏場の祭礼の供物とされてきました。

キュウリは、マクワウリが日本に伝わると、取って代わられて食べられなくなったと54ページで紹介しました。キュウリはマクワウリよりも、格下に位置づけられたのです。

水神の使いとされる河童は、水神よりも格下の妖怪です。そのため、河童にはマクワウリよりも格下のキュウリが供えられたのではないかと考えられています。それが、いつしか河童の好物と言われるようになったのです。

そして、河童の好物にちなんで、キュウリのノリ巻きは、「河童巻き」と呼ばれるようになったのです。

それ以降もキュウリは、ずっと下賤《げせん》な野菜とされてきました。

江戸時代の書物にはに「下品の瓜にて　いなかに多く作るものなり」と記されています。

学者の貝原益軒《かいばらえきけん》も「これ瓜類の下品なり。味良からず」と書いていますし、かの水戸光圀《みとみつくに》さえも「毒多くして能無し。植えるべからず。食べるべからず。」と書いています。まったくさんざんな評価だったのです。

キュウリが盛んに栽培されて、食べられるようになったのは、意外なことに大正時代以降のことなのです。

水分の多いキュウリは、水分の蒸発を防ぐために、表面にブルームという白い粉状のろう物質を分泌します。ところが、この白い粉は農薬が残っていると間違えられて、嫌われてしまいました。

そこで、専用に育種したカボチャを台木にして、接ぎ木することで、ブルームのないキュウリが作られるようになりました。これがブルームレスキュウリと呼ばれるものです。

ブルームレスキュウリは皮が厚く、日持ちがするため、今では店頭に並ぶほとんどがブルームレスキュウリです。

ただ、キュウリはもともと身が固く、皮が薄いため、歯ごたえの良い野菜でしたが、ブルームレスキュウリは、逆に皮が固いのに、身がやわらかいので歯ごたえがよくありません。そのため、ブルームレスキュウリはサラダにするには適していますが、漬け物には向かないようです。

河童はキュウリが好き

この紋どころが目に入らぬか

江戸時代の武士は、キュウリを口にしなかったと言います。

その理由はキュウリを輪切りにしてみるとわかります。キュウリの切り口は、徳川家の家紋である三つ葉葵に似ています。そのため、おそれ多いとして、武士たちはキュウリを食べなかったのです。もっとも、キュウリの切り口は、織田信長の「木瓜の紋」にも似ているとされていて、それ以前から武士はキュウリを食べなかったともされています。

キュウリを輪切りにした断面を見ると、確かに「葵の御紋」や「木瓜紋」のように、三つに分かれています。

この一つ一つが部屋のように分かれていて、それぞれの部屋には未熟な種子がはいっているのです。キュウリの雌花を見ると、雌しべが三つに分かれています。実は、この雌しべが、キュウリの実のそれぞれの部屋とつながっているのです。

もう一度、キュウリの断面を見てみましょう。未熟な種子のまわりには、仕切り線のような模様が見えます。この模様が、種子に栄養分や水を運ぶための維管束《いかんそく》と呼ばれるものです。種子はこの維管束の先端についているのです。

何気なく見える野菜の断面にも、しっかりとした規則性があるものです。キュウリと同じウリ科のスイカも、横に切って断面を見てみるとキュウリと同じように三本の維管束が見られます。この維管束の位置を見ながらスイカを切ると、種のまったく入っていないスイカのスライスを作ることもできます。

1.たてジマに対して横に切る。

2.維管束の場所を確認。

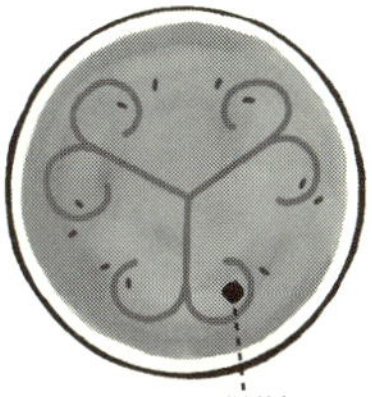

維管束《いかんそく》
水分や栄養を運ぶ管。スイカはその周辺に種があります。

3.維管束の周囲を避けるように切り出す。

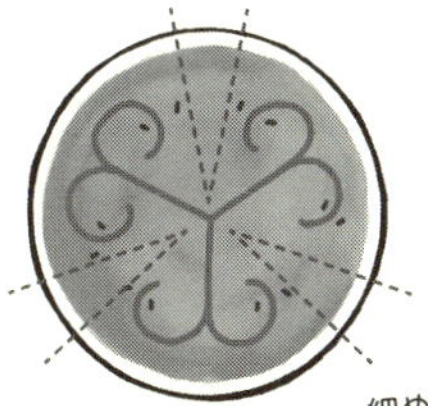

細めに切ると
種が入りにくい!

これで(ほぼ)種なし!
1玉につき6切れだけ
のゼイタク!

ちなみに、スイカは縞の下に種があると言われますが、それは都市伝説です。

それでは、トマトはどうでしょうか。

トマトも輪切りにすると、ゼリーの入ったいくつかの部屋にわかれています。そして、その中に種子がはいっているのです。果実の中心から、種子に向かって伸びている芯のようなものが、種子に栄養分や水を運ぶ維管束です。

トマトの外側を見ると、このゼリーの入っている部分が少し盛り上がっています。そして、部屋と部屋の間の壁の部分が少しくぼんでいるのです。

そのため、トマトを切らなくても、くぼんでいる部分に包丁を入れると壁の部分を切ることができます。そうすると、切ったときにも甘いゼリーの部分が外に出ないで閉じ込められるので、甘いトマトを楽しむことができるのです。

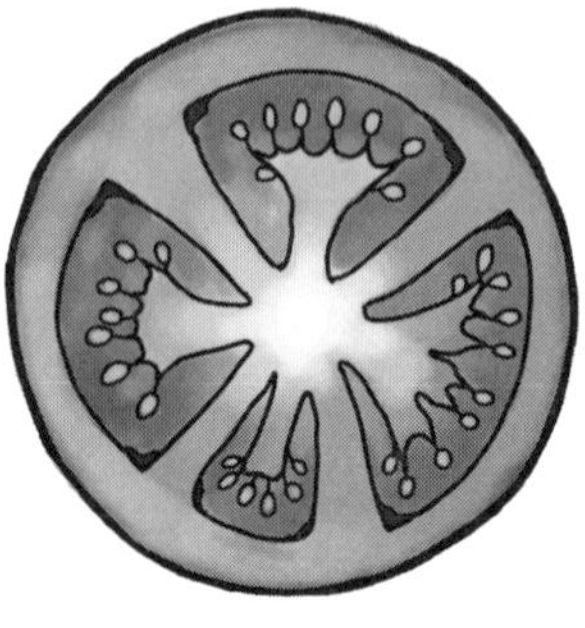

トマトの輪切り

家康　門外不出の野菜

すでに紹介したように、キュウリの切り口は徳川家の葵のご紋に似ているとされていました。ところが、家康のお墨付きで葵のご紋に似ているとされた野菜があります。

それは、何でしょうか？

答えは、ワサビです。

ワサビは漢字で「山葵」と書きます。その名のとおり、葉っぱが葵の御紋に似ているのです。

葵のご紋のモチーフとなったのは、山林に生えるフタバアオイという植物です。

フタバアオイは形の整ったハート形をしています。フタバアオイはその名のとおり、二枚の葉っぱを対称につけるのが特徴ですが、図案の良さから巴形に三枚の葉を組み合わせて「三つ葉葵のご紋」が作られるようになったと考えられています。

ワサビは、もともと日本の山野に自生していましたが、駿河の国（現在の静岡県）で栽培が始まりました。そして、駿府に居していた徳川家康にワサビが献上されると、ワサビの葉っぱが「葵のご紋」に似ているという理由から、家康自らが門外不出のご法度品としたのです。それから長い間、ワサビの栽培方法は、秘密にされてきたのです。

ワサビは、英語でも「Ｗａｓａｂｉ」と言います。

ワサビの英語名というと、「ホースラディッシュ」という言葉を思い出すかもしれません。

しかし、ホースラディッシュはワサビダイコンというまったく別の植物です。ホースラディッシュは白い色をしていますが、ワサビとよく似た味をしています。ワサビダイコンはワサビに比べると栽培が容易なので、高価なワサビの代用品として用いられてきたのです。

ワサビは、学名もワサビア・ジャポニカと言います。ジャポニカは、ラテン語で「日本の」という意味です。まさにワサビは日本を代表する野菜なのです。

日本では刺身や寿司のイメージが強いワサビですが、肉料理やチーズにもよく合うため、ヨーロッパでもワサビは人気です。

ワサビの辛味の元はシニグリンという物質です。ただし、シニグリンそのものは辛味はありません。ワサビを摺ると細胞が壊れて、細胞の中にあったシニグリンが細胞の外にしみ出してきます。そして、細胞の外にある酵素によって分解されてアリルカラシ油という辛味物質に変化するのです。

ワサビの辛味は、もともとは虫に食べられないための防御物質です。そして、38ページで紹介したタマネギと同じように、虫にかじられて細胞が壊れたときに、辛味を発揮するように工夫されているのです。

そのため、細胞を壊せば壊すほど辛味は増すことになります。ワサビを卸すときに、極めの細かい鮫肌の卸を使うのは、それだけ細胞がたくさん壊れてワサビの辛味を出すことができるからです。

「瓜にツメあり」は本当だった

「瓜にツメあり、爪にツメなし」という言葉があります。

「瓜」という漢字と「爪」という漢字は、よく似ていますが、「瓜」という字は、「爪」よりも二画余分にあります。そこで、「瓜にはツメがある」と覚えたのです。

「瓜」はウリの実がツルに成っているようすから作られた象形文字です。一方、「爪」は鳥の爪の形から作られました。

ところが、実際にウリには、本当にツメがあります。

キュウリやカボチャなど、ウリ科の野菜の種をまいてみると、双葉の下の茎に爪のような出っぱりがあります。これは「ペグ」と呼ばれるツメです。

ふつうの植物の種子には、種子の中に芽生えのもととなる「胚《はい》」と呼ばれる部分と、芽生えの栄養分となる「胚乳《はいにゅう》」と呼ばれる部分とがあります。たとえるとすると、胚は、植物の赤ちゃんで、胚乳は赤ちゃんのミルクに相当します。

たとえば私たちが食べるお米は、イネの種子です。お米では、玄米についている胚芽《はいが》と呼ばれる部分が胚です。そして、胚芽を取り除いた白米はイネの種子の胚乳の部分です。つまり、私たちはイネの種子のエネルギータンクである胚乳の部分だけを取り出して食べているのです。

また、トウモロコシの粒は、根元の白い部分が胚で、甘味のある黄色い部分が胚乳です。

ところが、ウリ科の種には、この大切な胚乳がありません。その代わり、ウリ科の種子の中には双葉がぎっしりと詰まっています。それでは、芽生えに必要なエネルギーはどうするのでしょうか？

じつは、ウリ科の芽生えは、この双葉の中に発芽のための栄養分をためています。つまり、厚みの

ある双葉をエネルギータンクにしているのです。

お米やトウモロコシの粒を見てもわかるとおり、植物の種子は胚乳が大部分で、植物の芽生えになる胚の部分はほんの少しです。しかし、少しでも芽生えが大きいほうが、早く大きく育つことができます。

そこで、ウリ科の種子は、胚乳をなくして、双葉をエネルギータンクとして利用することによって、限られた種子の中のスペースを有効に活用し、芽生えを大きくすることに成功したのです。

これは、飛行機が胴体の輸送スペースを少しでも広げるために、翼の中に燃料タンクを内蔵しているのとまったく同じ考えです。

ところが、種子の中に双葉が詰まっているために、種子から双葉を出すのが大変です。そのためペグに種子の皮を引っかけて脱ぎ去り、双葉を取り出すのです。

初夢のなすびはどうして縁起がいいのか？

「一富士《いちふじ》　二鷹《にたか》　三なすび」という言葉があります。

よく知られているように、この三つは初夢に見ると縁起が良いといわれるものです。

富士山や鷹は、いかにも縁起がよさそうな感じがしますが、どうして三番目はナスなのでしょうか。

この理由は諸説ありますが、徳川家康が隠居をした駿河の国（現在の静岡県）の高いものを並べたという説が有力です。富士は日本一の富士山、そして二番の鷹は富士山の横にある愛鷹山であると考えられています。それでは、ナスが高いとはどういうことなのでしょうか。じつは、これは初物のナスの値段のことです。つまり、「高い」に掛けたシャレなのです。

江戸時代に、駿河の国では温暖な気候を利用して、ナスの促成栽培が盛んに行われました。そして、馬糞《ばふん》や麻屑《あさくず》などの有機物の発酵熱で加温し、さらに株の回りを油紙障子で囲うという、現代のハウス栽培顔負けの方法で、初物のナスを栽培したのです。

それだけ手間をかけていれば当然、値段は高くなります。また、ナスは、物事を成す（なす）に通じるといわれ、初物のナスは縁起物として使われました。そして、初成りのナスは一個一両といわれ、大名が賄賂に使うほど高価なものだったのです。

平凡な子から非凡な子は生まれないという意味で「瓜のつるになすびはならない」と言う諺がありますが、これは「粗末なウリのつるに、高価なナスはならない」という意味です。ナスは、非常に高貴な野菜とされていたのです。

ところで、ナスは英語で「エッグプラント」と言います。これは「卵の植物」という意味です。どうして、ナスは「卵の植物」と呼ばれているのでしょうか。

日本では、ナスと言えば鮮やかな紫色をイメージしますが、紫色以外にも、白色や緑色のさまざまな品種があります。むしろ、世界を見渡すと白色や緑色のものが主流です。

小さな卵型をした白いナスは、まさに卵そのものです。そのため、ナスはエッグプラントと呼ばれているのです。

ナスの持つ紫色は「茄子紺」と呼ばれていますが、こんなにも鮮やかな紫色を持つナスは、日本で改良された日本独特のものなのです。日本では、紫色は古くから高貴な色とされていました。日本人は、高貴な色を持つ紫色のナスを珍重し、改良を進めたのかもしれません。

ナスは、古くから漬け物にして食べられていました。ナスをぬか漬けにするときには、古釘を入れますが、なぜだかわかりますか?

ナスの鮮やかな紫色は、ナスニンというアントシアニン色素の一種によるものですが、ナスニンは不安定な物質なので、ぬか漬けによって乳酸発酵をするとナスが変色してしまいます。一方、アントシアニン色素は、金属と結合すると青色や紫色の金属塩を生じ、美しい色を発色するという性質があります。そのため、古釘の鉄と科学反応を起こすことによってナスニンが安定し、鮮やかな漬け物となるのです。

昔の人はこんな化学の方法を、どうやって思いついたのでしょうか。本当に不思議です。

ソラマメくんの髪型の謎

子どもたちに人気の絵本に『そらまめくんのベッド』（福音館書店）という、ソラマメが主役のお話があります。

そらまめくんは「くものようにふわふわで、わたのようにやわらかい」莢《さや》のベッドが自慢の宝物です。絵本の中では、友だちのえだまめくんやグリーンピース兄弟が、そらまめくんのベッドをとてもうらやましがっています。

ソラマメの莢の内側をよく見ると、たしかにやわらかい毛で覆われています。ソラマメは春に花を咲かせて、実を結ぶので、まだ肌寒い時期に豆を守るために、さやの中にやわらかくて暖かなベッドを用意しているのです。

ところで、そらまめくんは、ポマードで七三分けにしたような、黒々とした髪が特徴的です。たしかにソラマメの豆を見ると、そらまめ君のような黒い部分があります。

これは、黒い口のように見えるので、「お歯黒」と呼ばれています。お歯黒というのは、江戸時代の女性が歯を黒く染めたことを言います。

　この黒い口のような部分は、豆と莢とがつながっていた名残りです。そーっと莢を剥くと、黒い口の部分で豆と莢とがつながっているようすが観察できます。豆は、この黒い口を通じて栄養分をもらい、育まれてきたのです。

　人間のへそが、胎児の時代に母親のお腹の中でつながっていた名残りであるのと、ちょうど同じです。

　ところで、豆というのは、植物の種子ですが、76ページで紹介したウリ科の種子と同じように、豆にも胚乳がありません。豆の中には、双葉になる元がぎっしり詰まっています。

　マメ科の種子も、この双葉の中に栄養分をためています。そして、双葉をエネルギータ

ソラマメのお歯黒

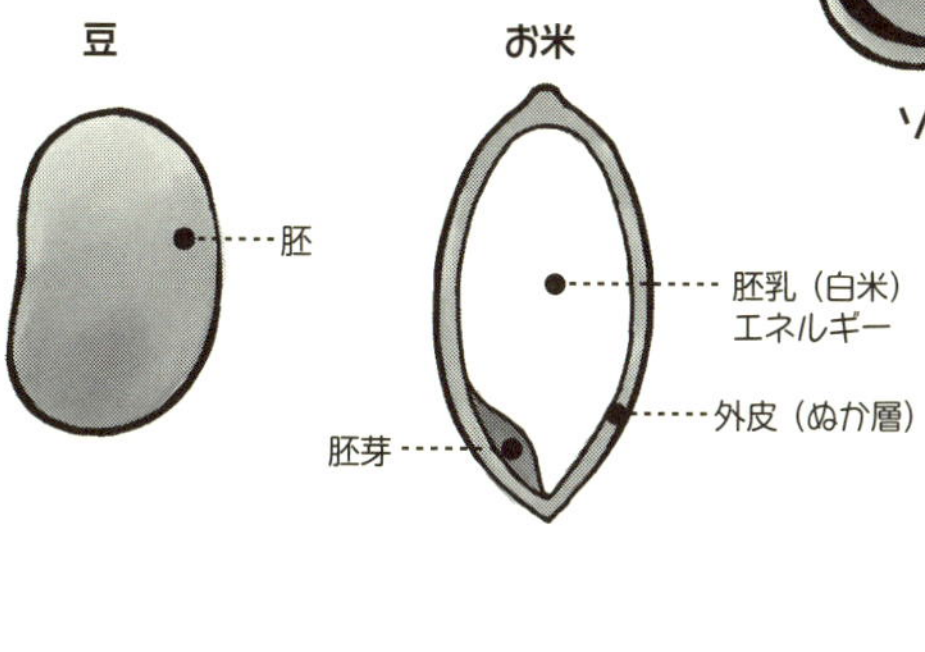

ンクにすることで、限られた種子の中のスペースを有効に活用して、芽生えのサイズを大きくすることができるのです。

さらにソラマメの芽生えは変わっています。ソラマメの双葉はエネルギータンクに徹しているため、土の上に出て開くことがありません。

そのため、ソラマメの芽生えは、双葉がなく、最初に本葉が地面の上に現れます。

とりあえずビールに枝豆

暑い夏には、何はなくとも冷たいビールです。

そして、ビールのおつまみといえば、何といっても枝豆でしょう。

枝豆がもつ良質のたんぱく質は、アルコールの吸収を緩やかにして、酔うのを防ぎます。また、枝豆に含まれるメチオニンは、アルコールの分解を促進する効果があります。

そのため、枝豆をつまみにすると、肝臓の負担が軽くなります。ビールと枝豆の組み合わせは、じつに理にかなっているのです。

枝豆は、日本独特の食べ物です。枝豆は、英語でも「EDAMAME」といいます。日本の「EDAMAME」は、今や国際語となりつつあるのです。

ところが、「枝豆」は日本独特の食べ物であっても、枝豆自体が珍しい作物かというと、そんなことはありません。

じつは、枝豆の正体は「大豆」です。枝豆は植物の名前ではなく、未熟な大豆を指す言葉なのです。

大豆は原産地の中国から日本に伝えられました。大豆は、今や世界中で栽培されていますが、大豆を未熟なまま枝豆で食べるのは日本だけです。

日本では、まだビールが飲まれる以前から、枝豆は食べられていました。一説によると枝豆は奈良時代から食べられていたとも言われているから驚きです。江戸時代になると、塩ゆでした枝豆が路上で売られていました。

枝豆の食べ方は塩ゆでばかりではありません。

枝豆の産地である山形県庄内地方では、枝豆の味噌汁が食べられます。また、東北地方の名物である「ずんだ」は、枝豆をすりつぶしたもので、餅にまぶしたり、和え物にして食べられます。輝くように鮮やかな薄緑色をした「ずんだ」は、みちのくの初夏の緑を思わせる美しい食べ物です。

ところで、大豆は米と相性の良い作物です。

日本の主食である米は、炭水化物を豊富に含み、栄養バランスに優れた食品です。一方、大豆は「畑の肉」と言われるほど、たんぱく質や脂質を豊富に含んでいます。そのため、お米と大豆を組み合わせると三大栄養素である炭水化物とたんぱく質と脂質がバランスよくそろいます。

さらに、米はアミノ酸のリジンが足りませんが、そのリジンを豊富に含んでいるのが大豆です。一方、大豆にはアミノ酸のメチオニンが少ないのですが、米にはメチオニンが豊富に含まれています。

そのため、お米と大豆を組み合わせることによって、すべての栄養分がそろった完全食となるのです。昔から食べられてきたお米と大豆の料理は、相性ばっちりなのです。

大豆からは、味噌や醤油、豆腐、納豆、きなこなど、さまざまな加工品が作られます。「ごはんにみそ汁」や、「ごはんに納豆」、「お餅にきなこ」、「煎餅に醤油」、「日本酒に冷や奴」、「酢飯と油揚げの稲荷寿司」など、私たち日本人が昔から親しんできたこれらの料理は、すべてお米と大豆の組み合わせです。

大豆は英語で「Soybean（ソイ・ビーン）」といいます。これは「醤油の豆」という意味です。

江戸時代の安政年間に、薩摩地方（現在の鹿児島県）からヨーロッパに向けて醤油が輸出されました。このとき醤油を意味する薩摩弁の発音の「ソイ」がソイビーンの由来と言われています。

大豆は、中国からアメリカにも伝えられ、やせた荒地でも育つことから、アメリカで広く栽培されるようになりました。

現在では、アメリカは世界一の大豆生産国です。アメリカとカナダをあわせると、世界の生産量の半分の大豆

米と大豆の組合せは相性が良い

が、北米地域で生産されています。もっとも、アメリカでは、大豆はほとんど食用にせず、家畜の餌として利用しています。

一方、ソイビーンの語源となった醤油の食文化を誇る日本はどうでしょうか。日本の食文化を支えてきた大豆も、現在ではほとんどが輸入に頼っています。大豆の自給率はわずか五％程度に過ぎません。今や、外国の大豆畑に頼らなければ、豆腐も味噌汁も納豆も、食べることができないのです。

コロンブスの苦悩

コショウは、英語でペッパーと言います。

これに対して、トウガラシは英語で「ホットペッパー（辛いコショウ）」や「レッドペッパー（赤いコショウ）」と言います。また、トウガラシを改良したピーマンは、「スイートペッパー（甘いコショウ）」と言います。

スパイシーなコショウのピリ辛と、火を噴くようなトウガラシの辛さとは、ずいぶん違うような気がしますが、不思議なことに、トウガラシはコショウの一種であるかのように呼ばれているのです。

そもそもコショウとトウガラシは、似ても似つかないまったく別の植物です。コショウはコショウ科の樹木です。一方、トウガラシはナスやトマトと同じナス科の野菜なのです。

どうして、まったく違う種類であるコショウとトウガラシが、同じように扱われているのでしょうか。

インドを目指してスペインを出発し大西洋を航海したコロンブスは、インドにたどりつくことはできませんでしたが、その代わりにアメリカ大陸を発見しました。

ところが、彼は自分のたどりついたところをインドだと勘違いしていたと言われています。そのせいで、アメリカ大陸にいた先住民はインド人という意味でインディアンと呼ばれていますし、カリブ海に浮かぶ島々は西インド諸島と名づけられたのです。

ところが、コロンブスの勘違いはこれにとどまりませんでした。

コロンブスの航海の目的は、インドからスペインへコショウを直接運ぶ航路を見つけることにありました。当時、肉を保存するために不可欠なコショウはアジア各地からインドに集められ、アラビア商人たちの手でヨーロッパに運ばれていました。アラビア商人たちが独占するコショウは、金と同じ価値を持つといわれるほど高価なものだったのです。

そしてコロンブスは、新大陸で見つけたトウガラシを、あろうことかコショウを意味する「ペッパー」と呼ぶのです。

コショウはコショウ科のつる性植物で、小さな粒の香辛料ですから、トウガラシとは似ても似つきません。また、「スパイシー」と表現されるコショウの辛さと、「ホット」と表現されるトウガラシの辛さとは、まったく違います。まさかコショウを探しにいったコロンブスが、コショウの味を知らなかったのでしょうか。

あまりにも初歩的な勘違いですが、もしかすると、コロンブスはわざと間違えていたのかもしれません。

大西洋を西へ進めばインドにたどりつけるのではないかと考えたのは、何もコロンブスだけではありませんでした。しかし、本格的な探索には莫大な資金を必要とします。そこで、コロンブスはスペインのイザベラ女王を説得して、多額の資金援助を約束させたという経緯がありました。

そのときにイザベラ女王の説得に使ったのが、新航路による香辛料貿易の膨大な富と、黄金の国ジパングでした。

こんな大風呂敷を広げて資金援助を受けているのですから、いまさら失敗したなどと言えようはずがありません。そのために、彼はトウガラシを最後まで「ペッパー」と言い張ったかも知れません。

そして彼は、新大陸を発見した後も、死ぬまで黄金の国ジパングを探し続けて航海を続けたのです。

韓流ブームと激辛ブーム

今、世間は韓流ブームです。

テレビではたくさんの韓国ドラマが放映され、韓流アイドルが大活躍しています。韓国人街である東京の新大久保は、韓国料理や韓流グッズを求める人たちであふれています。

隣の国どうしである日本と韓国は、よく似たところがたくさんありますが、大きく違うのは料理の辛さです。キムチやコチジャンに代表されるように、韓国料理はトウガラシをたくさん使います。七味唐辛子のように、日本にもトウガラシはありましたが、韓国のような辛い料理は発達しませんでした。どうして韓国では、あれだけトウガラシが食べられるようになったのでしょうか。

トウガラシの原産地は中南米です。コロンブスによってヨーロッパにもたらされたトウガラシは、宣教師らによってアジアに伝えられました。ビタミンCを含むトウガラシは、野菜不足でビタミンC欠乏症になりやすい長い航海にとって欠かせないものとなっていたため、船に積まれていたのです。

コショウに勝る辛さがあり、しかも温帯でも栽培できるトウガラシはアジアでも一気に広がりました。

インドのカレーはもともと、コショウなどの香辛料を使って作っていましたが、今では、トウガラシがカレーになくてはならないスパイスになってしまいました。

インドのカレーだけではありません。

タイ料理のグリーンカレーやトムヤンクンに代表されるように、東南アジアでは料理にトウガラシをふんだんに使うのが特徴です。また、四川料理のように、中華料理も辛い味のものが少なくありません。

栄養価が高く、発汗を促すトウガラシは、特に暑い地域での体力維持に適していたのです。

「唐辛子」という名前のとおりに、日本には中国（唐）から朝鮮半島経由で入ってきたという説があります。一方、ポルトガルから宣教師によってもたらされたという記録もあります。トウガラシのことを「南蛮辛子」や「南蛮胡椒」というのはそのためです。

日本では「唐辛子」と言うのに対して、韓国の古い書物では、「倭辛子」と記されています。韓国では逆に日本から伝わったとされているのです。

一説によると、秀吉の朝鮮出兵の際に、加藤清正の軍が、毒薬に使ったり、足袋のつま先に霜焼け止めとして入れたりして、持ち込んだのではないかとも言われています。

「唐辛子」と「倭辛子」という相反する名前を持つトウガラシですが、現在ではトウガラシは日本から韓国に伝わったとされており、九州から韓国に持ち込まれたものが、日本の本州に逆輸入されたり、朝鮮出兵の頃に全国に広がったことから、朝鮮から持ち込まれたとされたのではないかと考えられています。

いずれにしても日本と韓国に伝えられたトウガラシですが、日本と異なり、韓国ではトウガラシの食文化が花開きました。

これにはある歴史上の事件が関係しています。

鎌倉時代後期に、大陸から騎馬民族国家である元が大軍で押し寄せ、日本に侵攻しました。「元寇《げんこう》」です。幸運なことに、大嵐によって日本は元の侵略を退けることができました。

しかし、そのときに朝鮮半島はすでに元の支配下にありました。

元はもともと騎馬民族なので肉を食べます。日本と同じように仏教で肉食を禁じられた朝鮮半島ですが、元の支配下で肉食が習慣化したのです。そういえば、今でも韓国料理といえば、まず焼き肉です。

そのため、もともと韓国ではヨーロッパと同じように肉を保存するためにコショウを必要としていましたが、やがてそれに代わってトウガラシがなくてはならないものとなったのです。

一方、元の侵略を免れた日本では、肉食は仏教で禁止されたままだったので、トウガラシは韓国ほどには広まりませんでした。

物静かな日本人と熱くなりやすい韓国人は、『ワサビの日本人と唐辛子の韓国人』（祥伝社）という本では、ワサビとトウガラシにたとえられています。

トウガラシは血液の循環を良くし、体が熱くなります。カーッと発散する辛さです。これに対して、ワサビは鎮静《ちんせい》作用があります。そして、なみだをためてじっと耐えている、そんな辛さなのです。

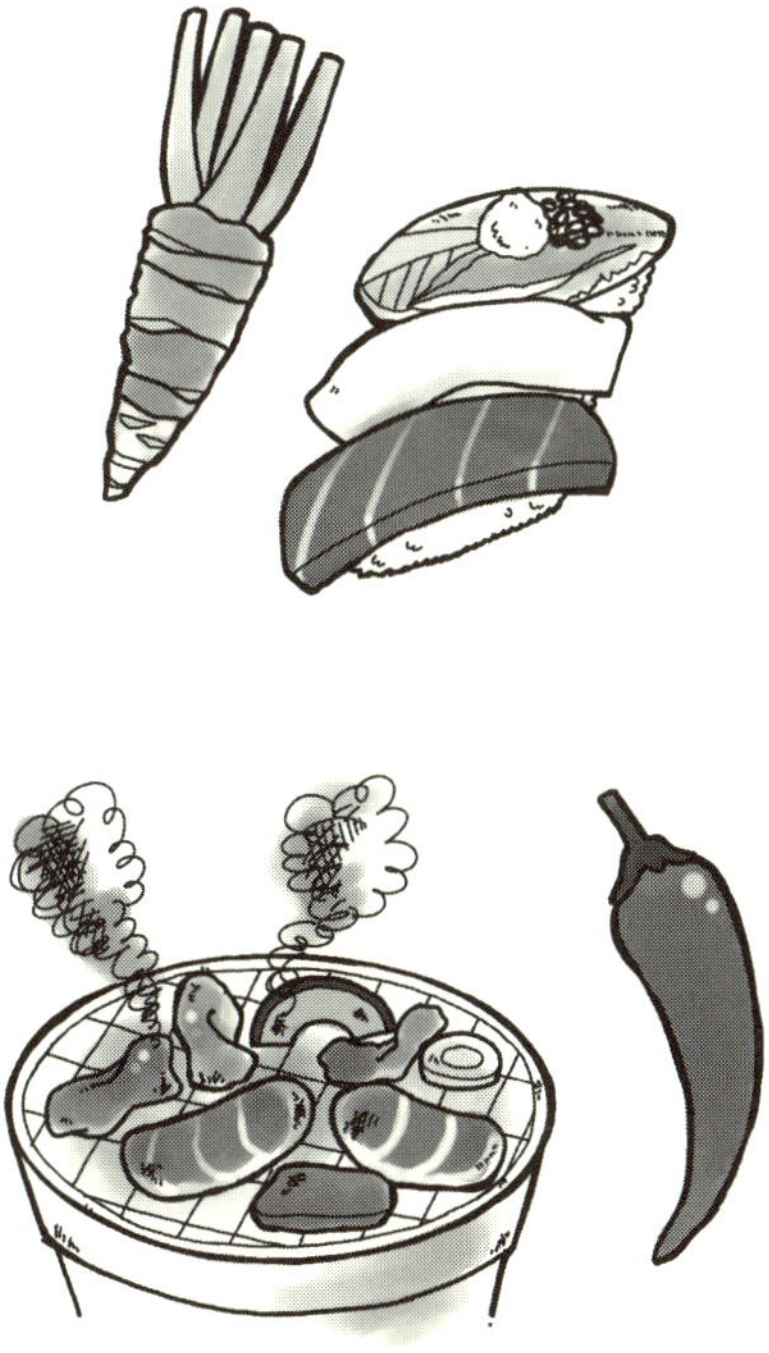

ワサビの日本とトウガラシの韓国

激辛はやめられない

トウガラシにはダイエット効果があると言われています。

トウガラシを食べると血行が良くなって体温があがり、代謝が高まります。そのため、脂肪が燃焼するのです。

しかし一方で、トウガラシは胃腸の働きを活発にするため、食欲増進効果もあります。そのため、せっかく代謝を高めて脂肪を燃やしても、いつもより食欲がわいてしまうのです。

トウガラシはダイエット効果と食欲増進効果という、相反する効果を持った、何とも悩ましい食材です。しかし、私たちの体が、トウガラシに対して、まったく異なる反応を示すのには理由があります。

トウガラシはカプサイシンという辛味成分を持っています。このカプサイシンは、本来は、動物による食害を防ぐための防御物質です。

そのため、私たちの体はカプサイシンを有害な物質として認識します。そして、カプサイシンを排除しようと反応するのです。

まず、カプサイシンを消化・分解しようと胃腸が活発に動きます。トウガラシを食べると食欲が増進するのはそのためなのです。

そして、カプサイシンを解毒しようと血行も良くなります。トウガラシを食べると体中が熱くなり、汗をかくのもそのためです。

このようにトウガラシの辛味成分を、人間の体は有害なものとして認識し、排除しようとします。体を守るためには、太るとかやせるとかは二の次なのです。

また、トウガラシを排除するしくみが働くことによって、体の働きが活性化されたり、解毒代謝が働くことによって、老廃物などが排出される効果もあります。

辛いトウガラシを食べると、まるで口から火は噴き出るようですし、唇は腫れ上がります。

ところが、こんなにつらい思いをしても、食べ終わると、また性懲りもなく辛いものが食べたくなってしまいます。トウガラシの辛味は、一度食べると病みつきになる魔力をもっているのです。

どうして、人間の体にとって有害なカプサイシンを、人は求めてしまうのでしょうか。

トウガラシを食べると舌がヒリヒリするほど辛い思いをしますが、ここがポイントです。そもそも人間の舌には辛味を感じる味覚はありません。じつはカプサイシンは舌を強く刺激します。そして、痛覚がそれを感じるのです。つまり、カプサイシンの辛さは痛さだったのです。

人間の体は、カプサイシンを無毒化し、排出しようと活性化されます。しかし、それだけではありません。じつは、カプサイシンによって体に異常をきたしたと感じた脳は、ついには鎮痛作用のあるエンドルフィンまで分泌してしまうのです。

脳内モルヒネとも呼ばれるエンドルフィンは、疲労や痛みを和らげる役割を果たしています。カプサイシンによる痛覚の刺激を受けた脳は、体が苦痛を感じて正常な状態にないと判断し、痛みを和らげるためにエンドルフィンを分泌するのです。そして、その結果、私たちは陶酔感を覚え、忘れられない快楽を感じてしまうのです。

私たちが辛いものを無性に食べたくなるのは、トウガラシの中に含まれたカプサイシンによって脳が快感を覚えるからだったのです。

トウガラシを食べると快感を感じる

裁判の被告になった野菜

コロンブスの新大陸発見以降、ジャガイモはヨーロッパにもたらされましたが、その評判は芳しくありませんでした。

当時、ジャガイモは「悪魔の植物」と呼ばれたのです。

何しろそれまでのヨーロッパには、地面の下から掘り上げる「芋」という作物はありませんでした。そのため、茎や葉を食べてしまったのです。

ジャガイモは、芋は無毒ですが、茎や葉には毒があります。そのため、茎や葉を食べると、めまいや嘔吐などの中毒症状を引き起こします。ところが、芋の食べ方を知らなかったヨーロッパでは茎や葉を食べてしまう事件が起こりました。あろうことか、英国では、茎や葉を食用とする料理本まで出され、英国女王のエリザベスⅠ世も、ジャガイモを食べて中毒を起こしたと言います。

ジャガイモから見つかった毒成分は、ジャガイモの属するソラナム属にちなんでソラニンと呼ばれています。

ジャガイモの芽を食べてはいけないというのは、ジャガイモの芽にソラニンが含まれているからです。ソラニンの致死量はわずか四〇〇ミリグラムといいますから、かなりの毒の強さです。現在でもジャガイモの芽による食中毒はときどき起こっていますから、注意が必要です。

こうして、毒のあるジャガイモは「悪魔の植物」と呼ばれ、忌《い》み嫌われるようになりました。「魔女の植物」と呼ばれていた同じナス科の毒草ベラドンナに似ていたことも、人々がジャガイモを恐れた一因となりました。

芋を食べることが知られるようになっても、芋を食べる習慣のなかったヨーロッパの人々にとって、ジャガイモは奇異な作物でした。ごつごつした奇妙な形のジャガイモは食べると風土病になるというデマも流れたくらいです。

そして、聖書にも書かれていない悪魔の植物は、中世のヨーロッパで、ついに裁判に掛けられることになりました。

その罪状は、花が咲いても実ができず、芋で繁殖するということから、性的に不純で、神が定めた摂理に反するというものでした。

そして、ジャガイモには有罪の判決が言い渡されたのです。

判決は、あろうことか火あぶりの刑でした。

火あぶりにされたジャガイモは、何ともおいしそうですが、それで人々がジャガイモの食べ方を知ったということには、ならなかったようです。

不遇の時代の続いたジャガイモですが、飢饉《ききん》の年や戦争で荒廃した土地でも育つことから、各国で栽培が奨励されるようになりました。

ドイツでは、ジャガイモを広めるために、「言うことを聞かない者は、鼻と耳をそぎ落とす」と脅して、栽培を強要したそうです。

今やドイツ料理にジャガイモは欠かせません。現在のドイツでは「野菜の王様」とたたえられています。

それだけではありません。

栄養価が高く保存性の高いジャガイモを餌にすることによって、雑食の家畜である豚を、冬の間も飼育できるようになりました。

ドイツ人のソウルフードである「ジャガイモとソーセージ」という組み合わせは、こうして形作られていったのです。

マリー・アントワネットが愛した野菜

今でも人気の高い漫画「ベルサイユのバラ」は、フランス革命の頃の史実をもとに描かれた作品です。物語は、男性として育てられた男装の麗人オスカルと、フランス国王ルイ一六世の王妃であるマリー・アントワネットの数奇な生涯を中心に展開していきます。

ベルサイユ宮殿に気高く咲くバラにたとえられたマリー・アントワネットは、ある花をこよなく愛していたといいます。その花は何でしょうか?

それはバラの花ではありません。「ベルサイユのバラ」が連載されていた雑誌の名前だったマーガレットでもありません。

じつは、王妃が愛したのは、ジャガイモの花だったのです。

王妃は、舞踏会などでジャガイモの花の髪飾りを好んでつけたと伝えられています。ジャガイモというとダサくて田舎っぽいイメージがしますが、ジャガイモは白や紫色をしたなかなか美しい花を咲かせます。

当時すでにヨーロッパの国々に広まっていたジャガイモですが、フランスにはなかなか広まりませんでした。

そこでヨーロッパが大飢饉に見舞われたとき、パルマンティエ男爵がジャガイモの普及を提案しました。まず、彼の提案どおり、ルイ一六世は、ボタン穴にジャガイモの花を飾りました。そして、王妃のマリー・アントワネットにジャガイモの花飾りをつけさせて、ジャガイモを大いに宣伝したのです。その効果は絶大で、美しい観賞用の花としてジャガイモの栽培がフランス上流階級に広がり、王侯貴族は競って庭でジャガイモを栽培するようになっていったのです。

次に、ルイ一六世とパルマンティエ男爵は、国営農場にジャガイモを展示栽培させました。そして、「これはジャガイモといい、非常に美味で栄養に富むものである。王侯貴族が食べるものにつき、これを盗んで食べた者は厳罰に処す」とおふれを出して、大げさに見張りをつけたのです。

ジャガイモを普及させたいはずなのに、どうして、独占しようとしたのでしょうか。

じつはこれこそが、ルイ一六世らの巧みな策略でした。好奇心に駆られた人々は、深夜に畑に侵入し、次々にジャガイモを盗み出したのです。こうして、ジャガイモは庶民の間にも広がっていったといわれています。

悪名高いマリー・アントワネットと、その尻に敷かれていたというルイ一六世ですが、国民を飢饉から救うために、こんなにもジャガイモの普及に尽力していたのです。現在では、フランスは世界一〇位のジャガイモ生産国です。

歴史は勝者たちによって作られます。

ルイ一六世に財政難を救うだけの政策がなく、マリー・アントワネットが旧体制を守るためにオーストリアに助けを求めたことは真実ですが、その悪評の多くは中傷やデマであったとされています。

そして、人々を飢えから救うために国中にジャガイモの花を広めた一人の王妃は、ギロチン台の上でバラの花びらのように散って行ったのです。

アメリカ建国のジャガイモ事件

一九六九年、アポロ計画により、アポロ十一号が月面に着陸しました。月面に降り立ったアームストロング船長が発した「一人の人間にとっては小さな一歩だが、人類にとっては大きな飛躍だ」という言葉は有名です。

この月飛行計画を強力に推し進めたのが、四十三歳という若さで、第三十五代アメリカ合衆国大統領となったJ・F・ケネディでした。ケネディは月着陸の実現を見ることなく、一九六三年に暗殺されますが、そんなケネディを偲《しの》んで、アポロの打ち上げ場所は、ケネディ宇宙センターと名付けられました。

歴史に、「もし」はありませんが、「もし、ケネディ大統領が暗殺されていなかったら世界はどう変わっていたのか」とよく空想されます。ケネディ大統領の暗殺は、それだけの大事件だったのです。

しかし、「もし、あのジャガイモにまつわる事件がなかったとしたら、世界はどう変わっていたのか……」と思わずにいられない事件があります。

もし、そのジャガイモの事件がなかったとしたら、大金をつぎ込んだ人類の月面着陸はなかったかも知れません。それどころか、アメリカ合衆国も今のような超大国になっていなかったかも知れないのです。

ジャガイモの原産地は南米のアンデス山地です。コロンブスの新大陸発見によってヨーロッパにもたらされたジャガイモを、最初に主食として取り入れたのはアイルランドの人々でした。寒さが厳しく荒涼としたやせ地でも育つジャガイモは、アイルランドの人々にとって貴重な食糧となったのです。

ジャガイモのおかげで、一九世紀初めに三〇〇万人だったアイルランドの人口は、その後、八〇〇万人にまで増えたと言われています。

ところが、です。一八四〇年代に、アイルランドでは突如としてジャガイモの疫病が大流行し、ジャガイモが不作となりました。そして、百万人にも及ぶ人々が餓死する大飢饉となったのです。

その原因は、ジャガイモの栽培方法にありました。

ジャガイモはイモを植えてどんどん増やすことができます。そのため、アイルランドでは収量の多いたった一つの品種を増やして国中で栽培していたのです。一つの品種しかないということは、その品種がある病気に弱ければ、国中のジャガイモがその病気に弱いということになります。そのため、疫病によって国中のジャガイモが壊滅してしまう結果となったのです。

原産地の南米アンデス地方では、疫病によってジャガイモが全滅しないように、複数の品種を混ぜて植えていました。いろいろな品種があれば、いずれかの品種は生き残るからです。ところが、そうした伝統的な栽培法を非効率として軽視したために、アイルランドでは悲劇が起こってしまったのです。

食糧を失った人々は、故郷を捨てて、新天地のアメリカを目指しました。その数は二〇〇万人にも及ぶとされています。

そして、このとき移住した大勢のアイルランド人たちが、現在のアメリカ合衆国の基礎を作ったのです。さまざまな国の人たちが移住し多民族国家として発展を遂げた現在でも、全米で約四〇〇〇万人もの人々がアイルランド系の祖先を持つといいます。

そして、このときアメリカに移住したアイルランド人たちのなかに、J・F・ケネディの曾祖父にあたるパトリック・ケネディがいたのです。

もしかすると、ケネディ大統領が月面にあんなにもこだわったのは、でこぼこした月面がジャガイモを思わせたからなのかもしれません。

ケネディ大統領以外にも、レーガンやクリントン、オバマなど多くの大統領がアイルランド系ですし、ディズニーランドを作ったウォルト・ディズニーやマクドナルドの創始者であるマクドナルド兄弟もアイルランド系ですから、その影響は計り知れません。

歴史に「もし」はありまえせんが、もし、ジャガイモの事件がなかったとしたら……世界はいったい、どうなっていたか、と思わずにいられません。

どうして一晩置いたカレーはおいしいのか？

一晩置いたカレーはおいしい、とよく言われます。

これはどうしてでしょうか？

一晩置くと、肉や野菜の旨味がカレーの中に溶け出すように思いますが、実際には旨味の量はほとんど変わらないようです。

じつは一晩置いたカレーがおいしいのは、ジャガイモのはたらきによるものです。

ジャガイモに含まれるでんぷんは、粘度が強くとろみがあります。ジャガイモを切った包丁をしばらく置いておくと、包丁に白いものがつきます。これがでんぷんです。ジャガイモでんぷんは粘度が強いので、糊のように包丁につくのです。

カレーを置いておくと、このジャガイモのでんぷんが少しずつ溶け出してきます。そして、カレーにとろみをつけるのです。するとカレーの粘度が高まるために、カレーを食べたときに舌の上に残ります。そのためカレーの味を強く感じるのです。

カレーライスにジャガイモは欠かせませんが、それにしても、どうしてカレーにはジャガイモを入れるのでしょうか。

カレーというとインドを思い浮かべますが、現在日本で食べられているようなカレーライスが作られたのは、英国です。

カレーの語源ははっきりしていませんが、タミル語で野菜や肉などの具を意味する「カリ」という言葉に由来するとされています。また、「カリ」という言葉は、ご飯に掛けるソースを意味するという説もあります。

いずれにしても、おそらくは、インドにやってきた西洋人が「これは何か？」と訊ねたときに、料理名ではなく、別の意味を答えた言葉が聞き間違えられて「カレー」という言葉になったとされています。

インドを植民地としていた英国は、香辛料を使った料理を「カリー」と総称するようになり、インドの米と香辛料を混ぜ合わせたマサラからカレーライスを作りました。その後に、スパイスを組み合わせてカレー粉を開発したのです。

現在では、インドでもカレーという料理はありますが、これは英国から逆輸入されたものです。

やがて英国の船乗りたちは、日持ちのしない牛乳の代わりに、保存性の良いカレーパウダーを利用してシチューを作りました。そして、このシチューには、保存性の良いニンジン、ジャガイモ、タマネギが入れられたのです。

このカレーは英国海軍の軍隊食となり、英国海軍を見習って日本の軍隊でもカレーライスが食べられるようになりました。そして、兵役を終えた兵士たちによって、カレーライスは家庭へと普及していったのです。

カレーライスの調味料を、カレー粉から砂糖と醤油に変えると肉じゃがになります。今ではおふくろの味の代表である肉じゃがも、カレーライスと同じように軍隊食から家庭へと普及していきました。

カレーライスの三種の神器とも言われるニンジン、ジャガイモ、タマネギの三つの西洋野菜は、明治以降の北海道の開拓を中心に、生産量が伸びた野菜でもあります。

ちなみに、明治に海軍に取り入れられたカレーライスは、太平洋戦争中には英語が禁止されていたので、「辛味入汁掛飯」と、呼ばれていたそうです。あまり、おいしそうではありませんね。

明治になって食べられるようになったジャガイモですが、江戸時代の初めころには、すでに日本に伝えられていました。

ジャガイモはオランダ人によってジャガタラ（現在のジャカルタ）から長崎の出島に持ち込まれました。そのため、ジャガタラから来たイモという意味でジャガタライモと呼ばれるようになったのが、ジャガイモの名前の由来です。

ヨーロッパでは貴重な食糧となっていたジャガイモですが、日本では飢饉食として栽培が奨励されても、なかなか広まりませんでした。

同じように江戸時代に伝えられたサツマイモに比べると、ジャガイモは味が淡白なので、日本人の口に合わなかったのです。

ジャガイモが日本人に食べられるようになるには、明治時代を待たなければなりませんでした。淡白な味のジャガイモは、肉のうま味とじつによく合います。そのため、明治時代になって日本人が肉を食べるようになると、ジャガイモの味もまた日本人に受け入れられていきました。そして満を持してジャガイモを使ったカレーライスが登場するのです。

福神漬けの中の謎の物体

カレーライスには福神漬けが欠かせません。

福神漬けは、七福神のように七種類の野菜が入っていることから名づけられました。

この福神漬けの中には、奇妙な形をしたものが入っています。先端が太っていて、反対側が細くなったこの形は、万年筆のペン先のようにも見えますし、理科の授業で習ったプラナリアのようにも見えます。

これはいったい何なのでしょうか?

この正体はナタマメです。これはナタマメの若い莢を輪切りにスライスしたものです。

七福神の材料となる七種類の野菜は、特に決まりがあるわけではありません。

福神漬けは、明治時代に上野の漬物屋「酒悦」で考案されました。このときに使われた野菜は、ナス、ダイコン、カブ、レンコン、キュウリ、シソの実、ナタマメ、の七種類です。

最近では、この他にも、タケノコ、チョロギ、シロウリ、ショウガ、ウド、ニンジン、サンショウなども加えた豊富な材料の中から七種類が選ばれて、さまざまな味の福神漬けが作られています。しかし、どんな組み合わせでも、必ずといっていいほど使われるのがこのナタマメです。ナタマメは福神漬けにはなくてはならない野菜なのです。

もっとも、福神漬け以外でナタマメを見掛けることはあまりありません。ナタマメの莢は、手のひらに乗らないほどの大きさがあります。この巨大な莢が鉈（なた）に似ていることから、ナタマメと名づけられたのです。

若い莢は、福神漬けの材料になりますが、熟した莢は有毒なので、食用にはなりません。成熟した豆は、音子に漢方薬の原料として用いられています。

ナタマメは、英語では「ジャックビーン（ジャックの豆）」と言います。じつは、この大きな豆は、あの「ジャックと豆の木」のモデルになったのです。

なじみのない野菜かと思ったら、思わぬところでナタマメの芽生えを見ることができました。ひところ、水をやると、芽が出てきて「ありがとう」「おめでとう」などのメッセージが表れるおもしろグッズが流行しました。じつは、この芽生えこそがナタマメなのです。

83ページで紹介したように、マメ科の種子は胚乳がなく、種子の中に双葉が詰まっていました。種子の中に双葉の元が入っているので、種子のうちにレーザーで処理をして双葉に字を掘りこむことができます。そして、芽が出て双葉が現れると、メッセージが現れるのです。

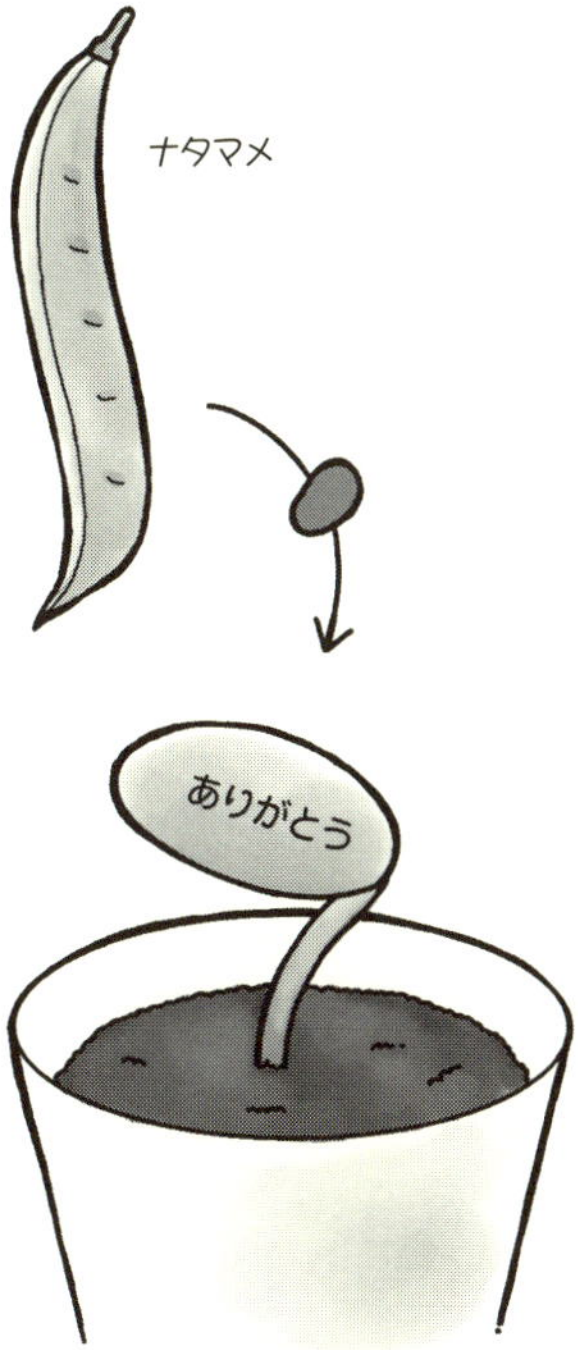
ナタマメ
ありがとう

石焼芋はどうして甘い？

「いーしやぁーきいもー、おいもー」の売り声は、寒い冬の風物詩です。

漫画の世界では、サザエさんは焼き芋屋さんが通ると、財布を持って飛び出していきますし、ドラえもんのヒロイン、しずかちゃんも焼き芋が大好物です。甘いスィーツにあふれた現代でも、ほくほくして甘い焼き芋の人気は衰えません。

それにしても、どうして石焼き芋はあんなに甘いのでしょうか。

電子レンジで加熱をすると、短い時間で手早く焼き芋を作ることができますが、石焼き芋のように甘くなりません。

石焼き芋の甘さは、焼いた石の上で、じっくりとサツマイモを焼きあげることによって生まれます。

サツマイモを加熱すると、ベータアミラーゼという酵素によってデンプンが分解されて麦芽糖《ばくがとう》が作られます。この酵素が六十五度くらいの温度でもっともよくはたらくのです。

石焼き芋は、この酵素がはたらく温度で、時間を掛けて焼いていきます。そのため、石焼き芋はたくさんの麦芽糖が作られて、甘くなるのです。

サツマイモが、でんぷんを糖に変える酵素を持っているのは、芋の中にたくわえたでんぷんを、成長時にエネルギーである糖に変える必要があるためです。

甘い物の少なかった江戸時代には、焼き芋は大人気でした。江戸では焼き芋は「栗よりうまい十三里半」と称されました。

これは「栗（九里）」と「より（四里）」を足した十三里よりも、味が上だという意味なのです。また、この十三里半は、サツマイモの産地として有名だった武蔵国の川越（現在の埼玉県川越市）から江戸までの距離でもありました。

焼き芋や大学芋など、日本のおやつとしてすっかり溶け込んでいるサツマイモですが、その原産地は中米です。そして、コロンブスによってヨーロッパに紹介されたのです。

しかし、熱帯原産で暖かい気候を好むサツマイモは、冷涼な気候のヨーロッパでは、あまり栽培されませんでした。ヨーロッパから中国へ渡ったサツマイモは、琉球を経て薩摩の国（鹿児島県）に伝えられました。そして、薩摩の国から各地へ広がったので、薩摩芋《サツマイモ》と呼ばれているのです。

焼き芋として大人気のサツマイモも、もともとはやせ地で育つ救荒食として広められました。

しかし、日本人にとって見たこともない野菜であるサツマイモは、なかなか栽培が広がりませんでした。そんななかにあって、サツマイモの普及に苦心し、人々を飢饉から救った各地の偉人たちは、その功績から「イモ宗匠」や「イモ爺さん」と称えられて、人々の尊敬を集めました。

もっとも有名なのが、江戸の人々をサツマイモで救った「甘藷先生《かんしょせんせい》」こと青木昆陽《あおきこんよう》です。甘藷というのはサツマイモの別名ですから、「甘藷先生」は「イモ先生」という意味です。

イモ兄ちゃんとか、イモ姉ちゃんと言うと、今では田舎くさいという意味の悪口ですが、その昔は「イモ」と呼ばれるのは、大変な名誉だったのです。

ところで、焼き芋を食べるとおならが心配です。

サツマイモを食べると、でんぷんや繊維質が発酵してメタンガスや炭酸ガスが発生するのです。特に、イモ類の糖質は消化しにくいので、おならになりやすい特徴があります。

しかし、サツマイモを食べて作られるおならは、ほとんど臭いません。おならのくさい臭いは、肉類の動物性たんぱく質や脂肪酸《しぼうさん》が発酵して発生する悪臭成分であるアンモニアや硫化水素《りゅうかすいそ》などが原因だからです。

もっとも、サツマイモを食べて作られるおならはガスが多いので、大きな音がしてしまいますが、これはご愛敬というものでしょう。

「芋の子を洗う」は何の芋？

夏休みになると、プールは「芋の子を洗うような混雑ぶり」とニュースで紹介されます。

この「芋の子」とは何の芋なのでしょうか。

サツマイモでしょうか。それともジャガイモでしょうか。

じつは「芋の子を洗う」の芋はサトイモです。

サトイモは最初に植えられた元の親イモのまわりに、新しいイモがたくさんつきます。これが「芋の子」です。

この芋の子を洗うときには、水を入れた桶の中で棒を使ってかき混ぜます。こうして、芋どうしをこすり合わせて洗ったのです。このようすが「芋の子を洗う」なのです。

サトイモを棒で洗うのには理由があります。サトイモは手で洗うとかゆくなってしまいます。そのため、手で触らずに棒を使うのです。

かゆみの原因は、シュウ酸カルシウムという物質です。このシュウ酸カルシウムは針状の結晶をし

ています。そして皮膚を刺激して、かゆみを引き起こすのです。
サトイモがシュウ酸カルシウムを持っている理由ははっきりとはわかっていません。しかし、シュウ酸カルシウムは皮の付近に多いことから、芋を食害する動物から身を守っているのではないかとも考えられています。
シュウ酸カルシウムは水に溶けないので、手を水で洗ってもなかなか、かゆみはおさまりません。ただし、シュウ酸カルシウムは、カルシウムなので酸に溶けます。そのため、酢水などで洗うとかゆみがやわらぎます。また、サトイモを酢水につけて下ごしらえするのも、かゆみの原因となるシュウ酸カルシウムを取り除くためです。
シュウ酸カルシウムは熱で分解するので、熱を加えて調理したサトイモを食べても口のまわりがかゆくなることはありません。

ところが、生で食べるヤマイモにもシュウ酸カルシウムが含まれています。ヤマイモを生のまますりおろした、とろろを食べると口のまわりがかゆくなってしまうのは、このためです。

サトイモと同じように、ヤマイモも皮の近くにシュウ酸カルシウムが多いので、皮を厚めにむくことでもかゆくなるのを防ぐことができます。また、サトイモと同じように皮をむいたイモを酢水につけておけば、かゆくなりません。あるいは、すりおろしたとろろを一度、冷凍保存すればシュウ酸カルシウムの結晶が壊れてかゆくなりません。

カボチャの馬車はどんな形？

カボチャというと、ゴツゴツしたイメージがあります。カボチャはよく絵手紙や色紙絵の題材として描かれますが、でこぼこをはっきり描くとカボチャらしく見えます。

ところが、ディズニー映画のシンデレラに登場するカボチャの馬車は、でこぼこがなく丸い形をしています。じつは、ゴツゴツしたカボチャと、シンデレラの丸いカボチャは、違う種類なのです。

カボチャの原産地は中央アメリカであると考えられています。

コロンブスの新大陸発見後、カボチャはヨーロッパに渡り、十六世紀にポルトガル船によって日本にもたらされました。このとき寄港地のカンボジアから伝えられたことから、カンボジアがなまって「かんぼちゃ瓜」と呼ばれていたものが「カボチャ」となったとされています。

関西では、女性の好きな食べ物として「いもたこなんきん」という言葉があります。さつま芋、タコと並んで挙げられる「なんきん」はカボチャのことです。「なんきん」も日本への寄港地であった中国南部の都市「南京」のことです。

こうして、日本に伝えられたカボチャは「日本カボチャ」と呼ばれています。

熱帯原産の日本カボチャは、高温多湿を好むので、日本でも温暖地で栽培されました。

一方、原産地の中央アメリカから古い時代に南アメリカに伝えられ、標高の高い冷涼乾燥の気候に適して発達したカボチャがあります。このカボチャもまたヨーロッパに伝えられましたが、再び大西洋を渡ってアメリカで栽培されるようになりました。そして、明治になってアメリカから日本に伝えられたのです。

冷涼な気候を好むこのカボチャは、北海道の開拓地を中心に栽培されました。そして、江戸時代から日本で栽培されていたカボチャを日本カボチャに対して、明治時代に日本に伝えられたカボチャを西洋カボチャと呼ぶようになったのです。

日本カボチャはゴツゴツした形が特徴です。これに対して、西洋カボチャは丸い形をしています。つまり、ディズニー映画で描かれているカボチャの馬車は西洋カボチャだったのです。

日本カボチャは甘味が少ないのですが、肉質がねっとりとしていて煮崩れしにくいので、煮物によく合います。

一方、西洋カボチャは甘味があり、栗のようにほくほくした肉質が特徴です。また、甘味のある西洋カボチャは、プリンやパイなど、スイーツの原料としても適しています。

食生活が洋風化するにつれて、日本カボチャはほとんど栽培されなくなり、現在は西洋カボチャが主流です。

カボチャというとでこぼこしたイメージがありますが、現在、売られているカボチャを良く見ると、表面もなめらかな丸い西洋カボチャばかりです。

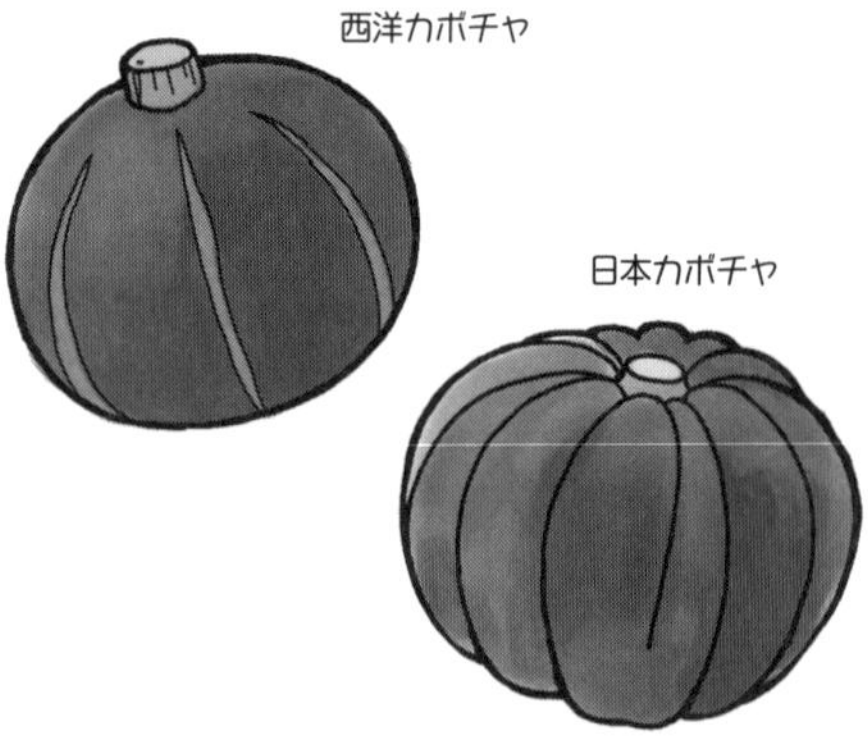

西洋カボチャと日本カボチャ

ハロウィンのカボチャの謎

アメリカのお祭りとして、あまりなじみのなかったハロウィンですが、最近は日本でもイベントが行われるようになり、定着しつつあるようです。

ハロウィンは、もともとケルト人の収穫感謝祭がヨーロッパに広がったものです、十月三十一日は、ケルト人の暦で一年の終わりの日でした。ちょうど日本では節分の夜に鬼が現れたり、大晦日の夜になまはげが出るのと同じような感覚なのでしょうか。ハロウィンの夜には、死者の霊が現れて、現世の人間にとりつこうとすると信じられていました。

そのため、恐ろしい姿に仮装をして、霊魂にとりつかれないようにしたのです。ハロウィンパーティで、魔女や悪魔の扮装をするのは、そのためです。

ハロウィンのシンボルといえば、カボチャをくりぬいて作ったジャック・オ・ランタンでしょう。ジャック・オ・ランタンは「ジャックのランタン」という意味です。

ジャック・オ・ランタンはアイルランドに伝わる鬼火のような存在です。

ジャックというのは、飲んだくれのかじ屋の名前で、ハロウィンの夜に現れた悪魔をだまして魂を奪われないように契約しました。しかし、死後、天国に行くこともできず、悪魔との契約のせいで地獄にさえ行くこともできずに、ランタンの炎とともにこの世をさ迷い歩いているのです。

この伝説を受けて、悪魔を出し抜いたジャックのランタンは、ハロウィンの夜に魔よけになるとされているのです。

このジャック・オ・ランタンは、もともとカブをくり抜いて作られました。ところが、ヨーロッパからアメリカへに渡った移民たちは、カブの代わりに、身近にあったカボチャを使ってジャック・オ・ランタンを作るようになったのです。

カボチャは、原産地の熱帯地域で発達した日本カボチャと、南米の高冷地で発達した西洋カボチャがあるこ

ジャック・ランタン

とを紹介しました。

この二つのカボチャとは別に、原産地の中米から北米に渡り、北米の乾燥地帯で発達したカボチャがあります。このカボチャはペポカボチャと呼ばれています。

アメリカ先住民が栽培していたペポカボチャは、やがて、移民たちの手によって、家畜のえさとして大量に栽培されるようになりました。ハロウィンでおなじみの、オレンジ色のカボチャは、このペポカボチャです。

ペポカボチャの「ペポ」は、ギリシャ語の「太陽によって調理された」という意味に由来すると言われています。太陽の光を浴びて育ったペポカボチャは、太陽の恵みと考えられていたのです。

ハロウィンは十月末ですが、日本では十二月末にもカボチャが活躍します。

昔から、冬至にカボチャを食べると良いと言われます。

しかし、カボチャはもともと熱帯原産の野菜なので、収穫は夏です。冬至は、夏とは正反対の真冬です。どうして夏の野菜であるカボチャを真冬に食べるのでしょうか。

それは、カボチャは長期間保存することができるので、夏に収穫したカボチャを冬至の時期まで取っておくことができるからです。

一年中野菜が豊富に食べられる現代と違って、昔は緑黄色野菜を冬場に食べることは難しいことでした。そこで、ビタミンの豊富なカボチャを食べて、厳しい冬を乗り切ろうとしていたのです。冷蔵庫もなかった時代に、保存の利くカボチャは、まるで夏の太陽の恵みを詰め込んだ缶詰のような存在だったのです。

もっとも、最近では、冬至のカボチャは、季節が日本と反対となる夏の南半球でとれたてのものが輸入されて店頭に並ぶのが、何とも複雑なところです。

ホウレンソウとコマツナが似ている理由

「ホウレンソウを買うつもりが、うっかりしてコマツナを買ってしまった。」

そんな経験はありませんか？

ホウレンソウとコマツナは良く似た姿をしています。

ホウレンソウやコマツナ以外にも、チンゲンサイやノザワナ、ミズナ、サラダ菜、シュンギクなど、菜っ葉類はどれもよく似た姿をしています。

菜っ葉類をよく見ると、どれも根元に何枚もの葉が重なったような形をしています。

キャベツやレタス、ハクサイなどの結球野菜も、半分に切って断面を見てみると、やはり根元から葉が重なって出ています。

どうして、菜っ葉類はどれもよく似た姿をしているのでしょうか。

茎を伸ばさずに、根元から何枚もの葉を広げたこの形は、上から見るとバラ（ローズ）の花飾りであるロゼットのように見えるので、「ロゼット」と呼ばれています。

ロゼットは、葉が放射状に広がっているので、茎を伸ばさなくても、すべての葉に太陽の光を満遍《まんべん》なく浴びることができます。また、温かな地面の近くに葉を広げているので、寒風をしのぐことができるのです。

菜っ葉類が鍋物に多く使われるのは、菜っ葉類の旬が冬であることと深く関係しています。現在では栽培技術が進み、菜っ葉類は一年中出荷されるようになりましたが、冬から春に育てられたものの方が、植物の生育としては適しているのです。

また、冬に育った菜っ葉は甘味があり、栄養価も高いことが知られています。

植物は寒さにあたると、葉の中の水分が凍りつかないように、糖分や栄養分を葉にため込みます。そのため、寒さを経験した菜っ葉類は甘く、しかも栄養分が豊富になるのです。

ロゼットという形態は寒さに耐えるのに適していますので、菜っ葉類だけでなく、多くの植物がこのロゼットで冬越しをしています。野原では、タンポポやナズナなども冬の間は同じようなスタイルをしています。それぞれの植物が独自に進化した結果、ロゼットという一つの答えにたどりついたのです。

花が咲けば似ても似つかない菜っ葉類も、よく似たロゼットの形を選びました。

たとえば、コマツナやチンゲンサイ、ノザワナはアブラナ科の植物なので、菜の花のような花を咲かせます。一方、ホウレンソウはアカザ科の植物で、雄花だけを咲かせる雄株と雌花だけを咲かせる雌株とがあります。また、レタスやミズナ、サラダ菜、シュンギクはキク科の植物なので、小さなタンポポのような花を咲かせます。

ロゼットの優れている点は、それが単に冬に耐えるためのものではないということです。

冬越しをするだけであれば、一番、安全なのは、種子や球根という形をとり、土の中で過ごすことです。土の中は温かく、霜で枯れてしまうこともありません。

しかし、菜っ葉類は冬の間も、地面の上に葉っぱを広げています。なぜでしょうか。

ロゼットの植物は、冬の間、光合成によって作った栄養分をせっせとためていきます。そして、春になって地面の下で眠っていた種が芽を出す頃には、ロゼットの植物は、冬の間にためた栄養分で茎を伸ばします。こうして、他の植物に先駆けて成長を遂げ、花を咲かせることができるのです。

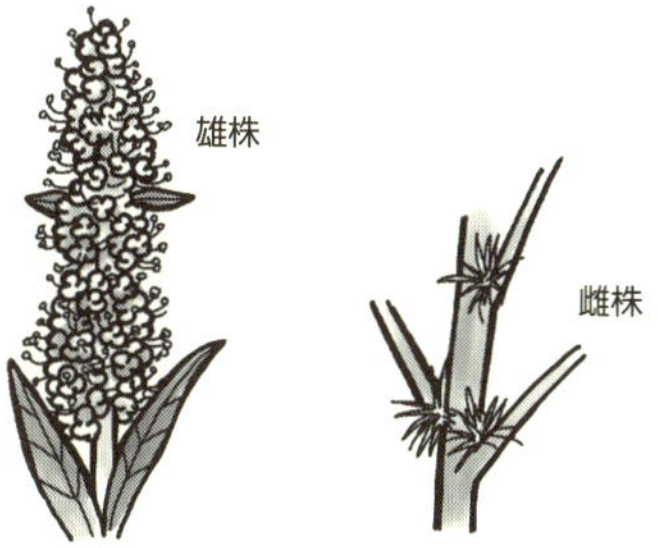

ホウレンソウの花

コマツナの花

冬の間に栄養分をためるために、ロゼットの植物は根っこを太らせることがあります。ダイコンやニンジン、ゴボウなども葉っぱは菜っ葉類と同じように茎が短く、葉が重なったロゼットの形をしています。これらの根菜類も、菜っ葉類と同じように冬越しの姿だったのです。

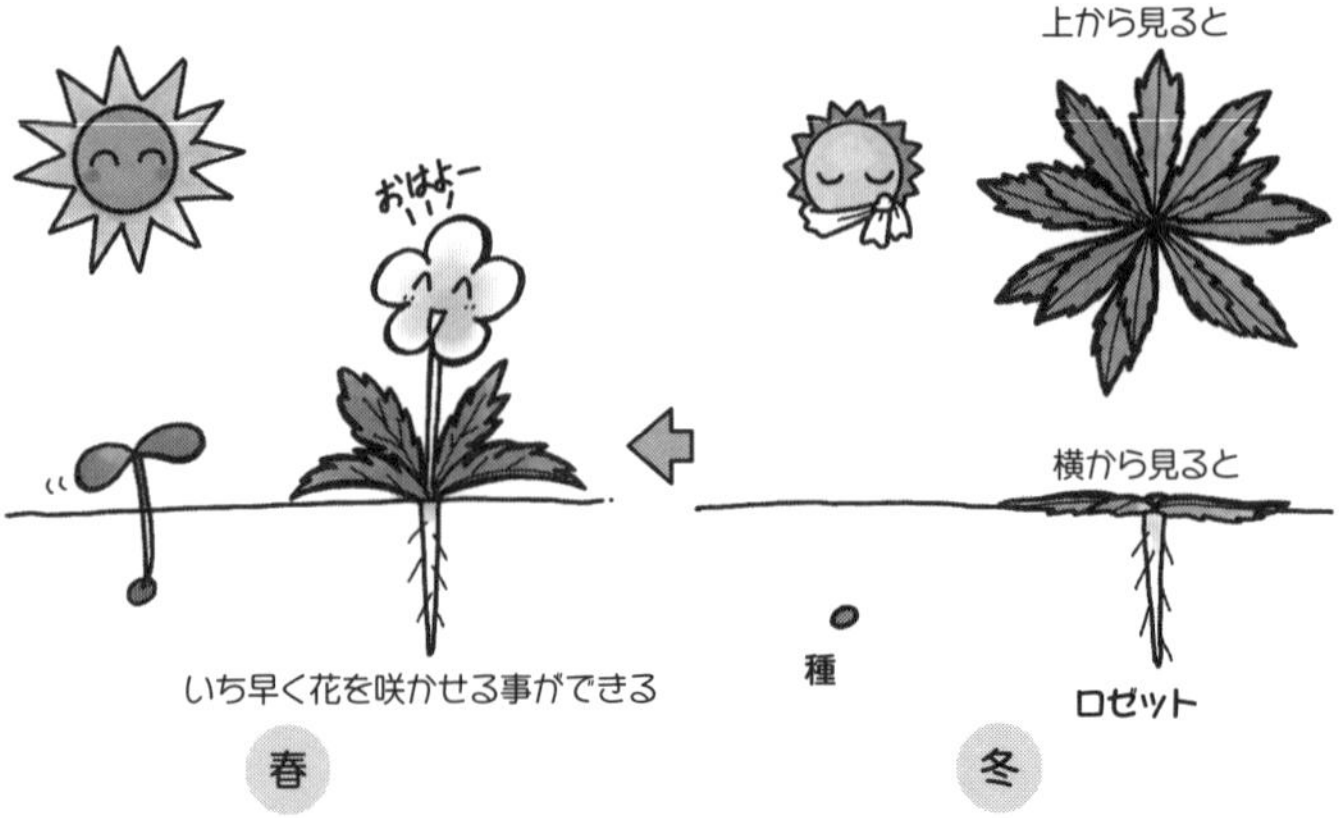

ロゼットは冬越しのスタイル

ポパイの恋人の名前は？

アメリカ漫画の主人公ポパイは、ホウレンソウの缶詰を食べると、いきなり力こぶもたくましい強い男に変身して悪者をやっつけます。

「ホウレンソウを食べないとポパイみたいに強くなれないよ」

しかし、高度成長期を育った昔の子どもたちは、そう言われながら大きくなりました。

筋肉質なポパイが肉ではなく、ホウレンソウを食べるというのは、何とも面白い設定です。

どうして、ポパイはホウレンソウが好きなのでしょうか。

スーパーマンやウルトラマンなど、変身して強くなるヒーローは、古今東西たくさんいますが、野菜を食べると強くなるヒーローというのは、他にはあまり聞いたことがありません。

じつはポパイは、全米ベジタリアン協会が野菜食を進めるために、宣伝用として作られたキャラクターでした。そのため、ホウレンソウを食べると強くなることをアピールしているのです。

ホウレンソウの缶詰というのは、日本ではあまり聞きませんが、国土が広く、生鮮野菜の輸送が難しかったアメリカでは、ゆでたホウレンソウの缶詰がよく食べられていたのです。

アメリカでホウレンソウが食べられていると聞くとなんだか意外な気がします。ホウレンソウといえば、何といってもおひたし。日本的なイメージがします。

ところが、ホウレンソウの起源は日本ではありません。ホウレンソウの「ほうれん（菠薐）」は中国語でペルシャという意味があります。ペルシャから伝えられた野菜だから、ホウレンソウというのです。

ホウレンソウは、ペルシャからシルクロードを経て中国に伝わります。そして、中国で品種改良が進められたのです。こうして作られたのが東洋種と呼ばれるものです。

一方、イスラム教徒たちによって北アフリカからヨーロッパへも伝えられました。そして、ヨーロッパで改良されたホウレンソウが西洋種と呼ばれるものです。

もともとホウレンソウは冬の野菜ですが、ヨーロッパの冬は厳しすぎるため、ホウレンソウの栽培には適しませんでした。そこで、春から夏に栽培できるホウレンソウが改良されたのです。

冬を越したホウレンソウは、春になって日が長くなってくると、茎を伸ばして花を咲かせます。そうなっては食用に適さないため、西洋種は、日が長くなっても花が咲かないように改良されました。さらに、病害虫の少ない冬に栽培する東洋種と比べて、春から夏に栽培する西洋種は、病害虫に強いように改良が進みました。

冬に栽培する東洋種は葉がうすく、やわらかいので、おひたしなどに適しています。

一方、春から夏に栽培する西洋種は、葉が厚く、しっかりしているので、加熱しても葉がくずれにくいという特徴があります。そのため、バターやオリーブなどの油で高温に加熱する料理に適しているのです。

そういえば、ポパイの恋人は「オリーブ」という名前でした。彼女のフルネームは「オリーブ・オイル」と言います。まさにホウレンソウの恋人にぴったりの名前なのです。

江戸時代末になってフランスから西洋種が日本に導入されると、一年中、栽培することができて病害虫に強い西洋種の栽培が一気に広まりました。しかし、おひたしには向かないために、最近では東洋種と西洋種を掛け合わせた、いいとこ取りの

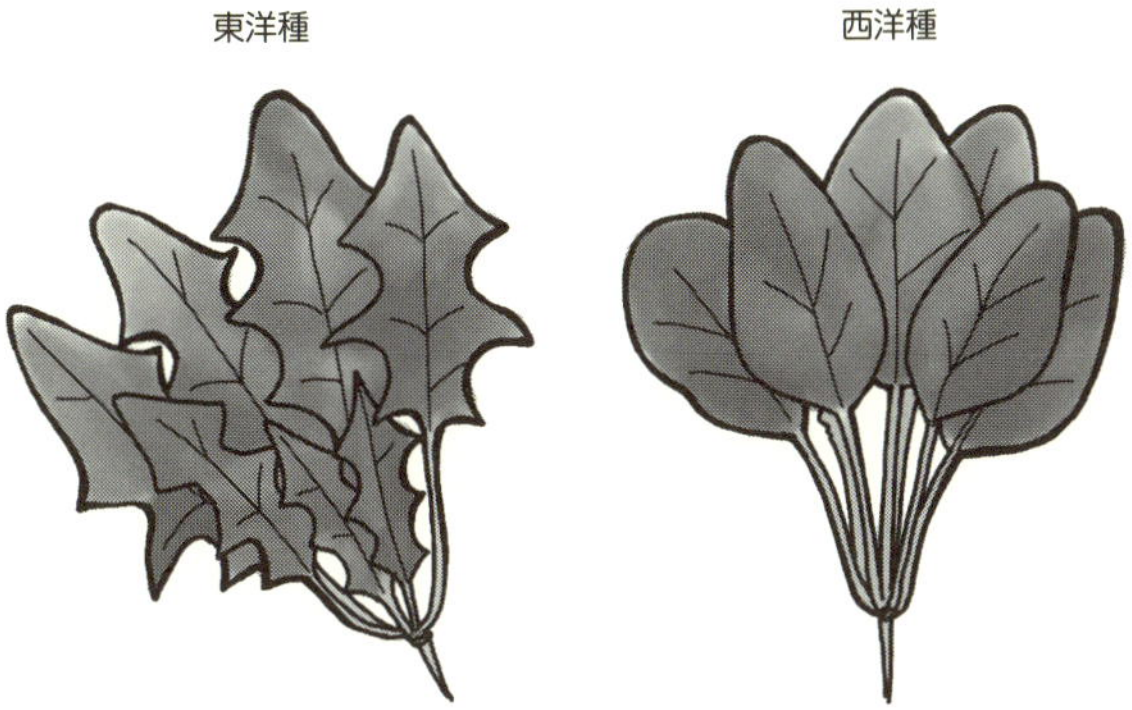

西洋種と東洋種

品種が栽培されています。

まさに和洋折衷《わようせっちゅう》。東西の文化を取り入れて、クリスマスと正月を共に祝い、教会と神前の結婚式を選べる国ならではの品種が開発されたのです。

カイワレ大根が育つと大根になるの？

スプラウトとして売られている貝割れ大根は、ダイコンの芽です。開いた双葉の形が貝に似ていることから「貝割れ」と呼ばれています。売られている貝割れ大根は、専用の品種なので、成長してもほとんど太らないようです。しかし、ダイコンの種をまけば誰でも貝割れ大根を作ることができます。そして、貝割れ大根が育つと、私たちが食べるダイコンになるのです。

とはいえ、この貝割れ大根とダイコンとは、あまりにも形が違うので、貝割れ大根がダイコンになるというのは、少し信じられません。

貝割れ大根を見ると、双葉の下には、すらっと長く伸びた茎の部分があります。しかし、ダイコンには茎のようなものはありません。貝割れ大根の茎の部分は、成長するとどこへいってしまうのでしょうか。

貝割れ大根の双葉の下に伸びている茎は、胚軸《はいじく》と呼ばれています。じつは、ダイコンは根といっしょに、胚軸も太ってできているのです。

ダイコンをよく見ると、下の方には細かいひげ根がついていたり、根のついていた痕跡の穴があります。この部分は根が太ってできたものです。

ところが、ダイコンの上の方は、根の痕跡がなく、つるんとしています。じつは、この部分は根ではなく、胚軸が太ってできているのです。

大根畑で見ると、ダイコンの上の方は土の上にはみ出して生えています。不思議に見えるかもしれませんが、上の部分はもともと胚軸ですから、地上に出ていてもおかしくないのです。現在、一般に出回っている青首ダイコンでは、胚軸の部分は緑色を帯びています。

一般の植物では、双葉の下に伸びる部分は

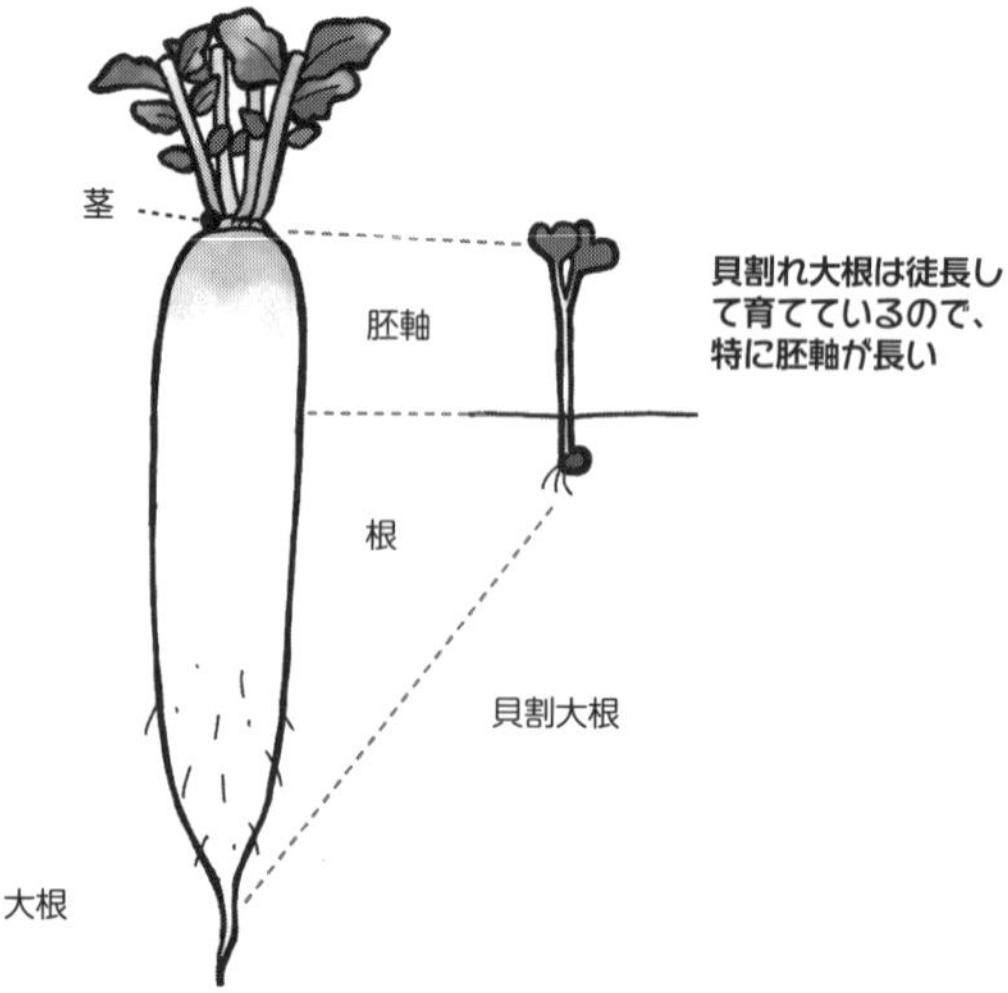

貝割れ大根とダイコンの図

胚軸と呼ばれ、双葉から上の部分が茎と呼ばれます。

それではダイコンに茎はあるのでしょうか。

ダイコンの茎はほとんど伸びずに、短いまま葉を次々と出してきます。

ダイコンの葉っぱをすべてむしると、最後に残る芯の部分が、ダイコンの茎なのです。

なぜそんなに茎が短いかというと、私たちがいつも目にしているのは、ダイコンの冬越しの姿だからです。春になればこの茎は、ぐんぐん伸びて花を咲かせます。

ところで、ダイコンの上と下では、植物の部位が違うのですから、味も異なります。

胚軸は、根で吸収した水分を地上に送り、地上で作られた糖分などの栄養分を根っこに送る役割をしています。そのため、胚軸にあたる上の方は水分が多く、甘いのが特徴です。

ダイコンの胚軸の部分のみずみずしさを活かすならばサラダが最適ですし、甘くてやわらかい特徴を活かせば、ふろふき大根などの煮物にぴったりです。

一方、ダイコンの根の部分は、辛いのが特徴です。根っこは、地上で作られた栄養分を蓄積する場所です。しかし、せっかく蓄えた栄養分を虫や動物に食べられてはいけないので、辛味成分で守っているのです。

ダイコンは下になるほど辛味が増していきます。ダイコンの一番上の部分と、一番下の部分を比較すると、下の方が十倍も辛味成分が多いのです。そのため、ダイコンの下の部分は、味噌おでんやぶり大根など、濃い味付けをする料理に向いています。

辛い大根おろしが好きな人も断然、下の方が適しています。逆に、辛いのが苦手な人は、上の部分を使うと辛味の少ない大根おろしを作ることができます。

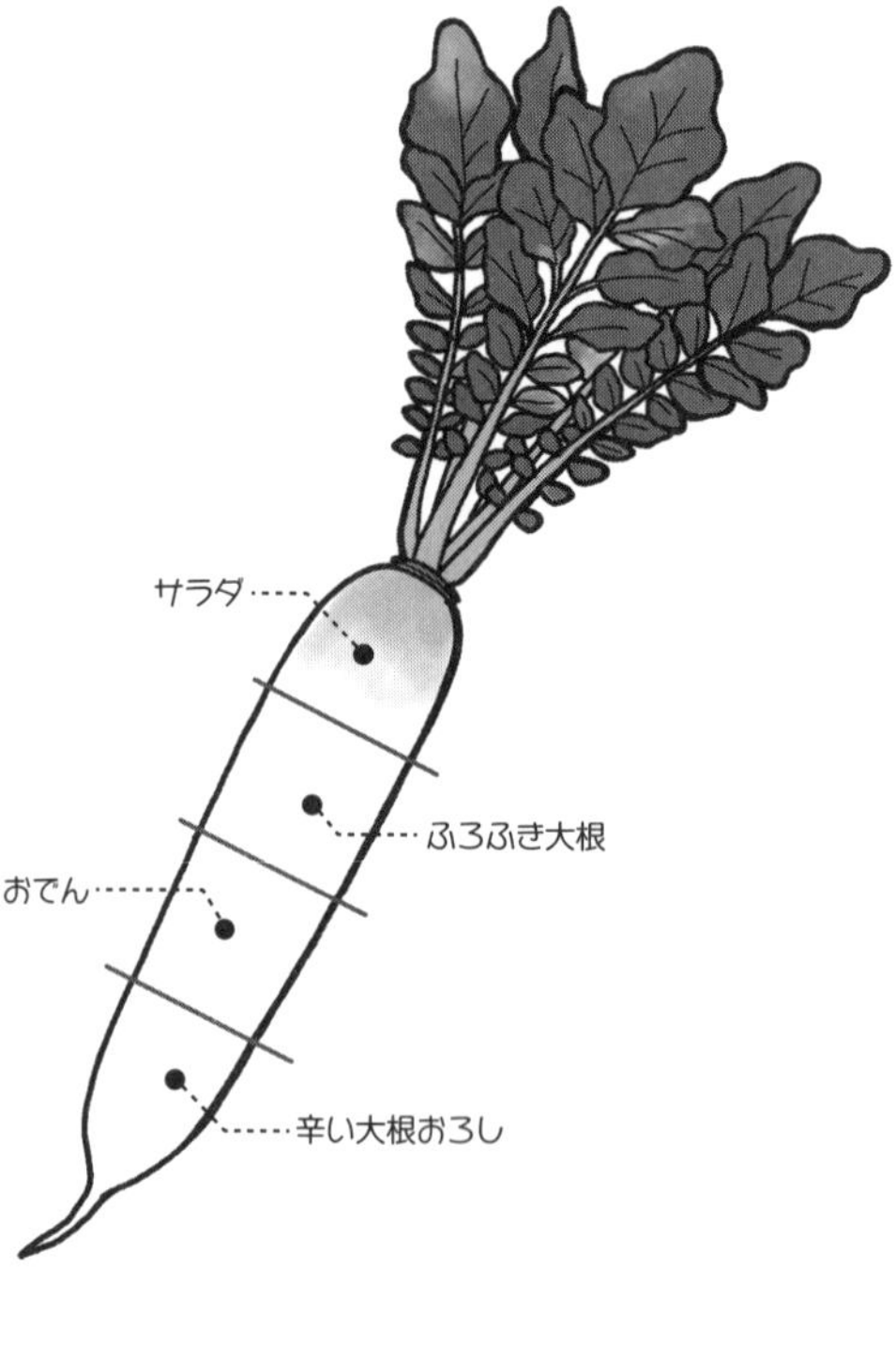

大根役者は当たらない？

演技の下手な役者を称して「大根役者」と言います。

この由来は諸説ありますが、ダイコンはどんな食べ方をしても食あたりをしないことから、ヒットすることなく「当たらない」という意味で、ダイコンにたとえられたと言われています。

ダイコンは、病原菌や害虫から身を守るために、イソチオシアネートという抗菌性や殺菌性のある辛味成分をもっています。そのため、ダイコンを食べても食あたりをすることがないのです。

刺身のつまとしてダイコンの千切りを添えたり、青魚の煮魚に大根おろしを添えるのも、ダイコンに食あたりを防ぐ効果があるからです。

しかし、大根おろしは辛いのですが、ダイコンのスティックや大根サラダを食べても、あまり辛くありません。

じつは、辛味成分のイソチオシアネートは、ダイコンにとっても刺激性のある物質なので、ダイコンは辛味物質そのものではなく、細胞の中に辛味成分の元となるグルコシノレートという原料物質を持っているのです。

そして、病原菌や害虫の攻撃を受けると、原料物質が細胞の外の酵素と反応して、辛味成分を作るしくみになっているのです。

このしくみは、38ページで紹介した、タマネギの細胞が壊れることで、刺激物質が作られるのと同じです。

そのため、細胞が壊れれば壊れるほど、大根おろしは辛くなることになります。

大根を力強く直線的におろすと、細胞が細かく破壊されて、より辛味が増しますし、逆に辛くない大根おろしを作りたければ、円を描くようにやさしくおろせば、破壊される細胞が少なくなって、辛味が抑えられることになります。

また、成長途上にある若いダイコンや、病害虫の多い夏に育った夏ダイコンは、防御物質であるグルコシノレートをたくさん含んでいますので、辛い大根おろしを作ることができます。

食あたりを防ぐ大根おろしは、消化を助けるはたらきがあることも知られています。

大根には、でんぷん質を分解するジアスターゼや、たんぱく質を分解するプロテアーゼ、脂肪を分解するリパーゼなど、さまざまな消化酵素が含まれています。

そのため、大根おろしは、天ぷらや焼き魚、和風ハンバーグ、鶏肉のみぞれ和えなど、油っぽく消化の悪い料理にもよく添えられます。しかも、これらの消化酵素は加熱すると壊れてしまうため、大根おろしのように生のまま食べる必要があるのです。

ダイコンが辛味成分を持っているのは、病害虫から身を守るためでしたが、それでは、どうしてダイコンが、人間の胃腸を助けるような消化酵素をたくさん持っているのでしょうか。

ダイコンは冬の間、暖かな地面の下に、栄養分を蓄えます。そして、春になるとその栄養分を使って茎を伸ばして、花を咲かせるのです。成長に使うためには、たくわえた栄養分を分解して利用する必要があります。そのためにダイコンは、自らを解かすような消化酵素をたくさん含んでいるのです。

大きなカブの謎

「うんとこしょ、どっこいしょ、まだまだカブは抜けません」

ロシアの童話『大きなカブ』は、リズミカルな掛け声で子どもたちに人気です。畑にできた大きなカブは、おじいさん一人では抜けません。おばあさんが手伝い、孫娘が手伝い、犬や猫まで加わって引っ張りますが、それでも抜けません、最後にネズミが加わって、「ようやくカブは抜けました」という物語です。

カブは丸い形をしているので、抜きにくいような気がしますが、実際には抜きにくくはありません。カブの丸い部分は、土のなかではなく、ほとんどが土の上にできるからです。

すでに紹介したように、ダイコンは根と胚軸が太ってできていましたが、じつはカブは胚軸だけが太ってできています。そのため、太った胚軸の部分は地面の上になるのです。

ダイコンとカブは、良く似ていますが、別の植物です。花を見ればその違いは一目瞭然です。ダイコンは花の色が白いのに対して、カブの花は黄色なのです。また、よく見ると葉っぱもダイコンの葉は切れ込みがあるのに対して、カブの葉は切れ込みがないという違いもあります。

花や葉がなくても、ダイコンとカブの見分けはつきます。

丸いのがカブで、細長いのはダイコン、と思うかも知れませんが、そうでもありません。ダイコンやカブは品種がたくさんあります。ダイコンの中にも丸い品種がありますし、逆にカブの中にも細長いカブがあるのです。

ダイコンは、根と胚軸が太ってできているため、根が太った部分にはひげ根や根っこの痕跡が残っています。これに対して、カブは胚軸だけが太っているので、表面はすべて、つるっとしています。そして、根っこは太らずに先っぽの方に長く伸びているのです。

ダイコンは根っこが太った下の部分は固くて辛いのですが、胚軸が太った上の部分はやわらかくて甘い味がします。一方、カブは胚軸のみが太っているので、やわら

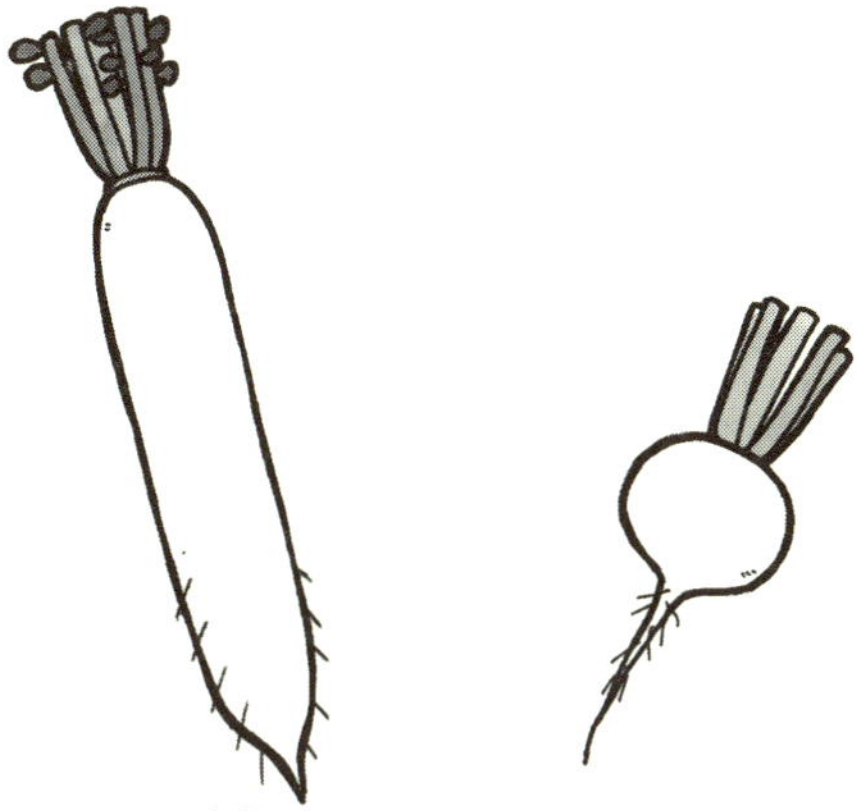

かくて甘いのです。試しに、カブの細い根っこをかじってみると、辛い味がします。

ダイコンは地面の下も太っているので、「うんとこしょ、どっこいしょ」と引き抜かなければならないのは、ダイコンの方です。しかし、「大きなダイコン」というお話にはなりませんでした。

じつは、ダイコンの原種はほとんど根が太りません。現代でもヨーロッパでダイコンと言えば、二十日大根のような小さなものです。ダイコンが現在のようにこんなにも大きく太るようになったのは、日本に渡って改良が進められたからです。

それにしても、地面の下で太るダイコンは抜きにくいものです。

そこで、最近では、青首大根が栽培されるようになりました。青首大根は、まっすぐで均一な太さなので抜きやすいという特徴があります。また、まっすぐな大根は、箱詰めしやすく、店頭では並べやすいという利点もあります。そのため、青首大根が全国で盛んに栽培されるようになりました。

一方、全国各地にあったさまざまな大根の品種は、栽培されなくなっています。

練馬大根や三浦大根といった有名な大根は、今や絶滅が心配されるまでに減っていると言います。練馬大根や三浦大根は、ダイコンの中央部より下が太くなっているので、抜きにくいのです。

こうした伝統品種は収穫が大変ですが、最近では有志の農家の方々の努力で、少しずつ復活してきています。特に、農業体験では、抜きやすい青首大根よりも、なかなか抜けない伝統品種の方が人気のようです。

一度、見捨てられたダイコンの品種が、また脚光を浴びつつあるのです。

ところで、冒頭の物語の「大きなカブ」は、実際にはカブではなく、砂糖の原料になる砂糖大根（てん菜）であるとも言われています。砂糖大根はカブの仲間ではありませんが、カブに良く似ているため、現地の言葉で「砂糖のカブ」と呼ばれているのです。

確かに、砂糖大根は根に糖分をため込んで、地中に深く伸びるので抜きにくい感じがします。

「大きな大きなカブになれ、甘い甘いカブになれ」

そういえば、畑にカブの種をまいたおじいさんは、そう言って種をまきました。やっぱり、甘いカブの正体は砂糖大根だったのかもしれません。

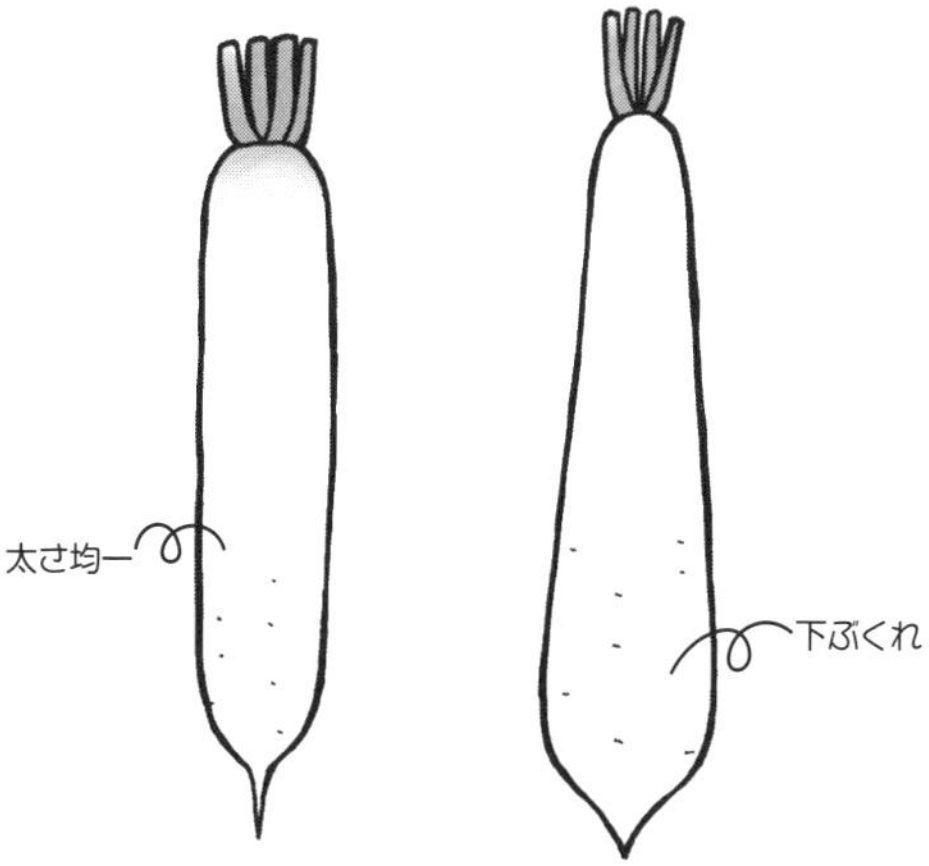

青首大根　練馬大根

大根足は、ほめ言葉？

「大根足！」と言われて、喜ぶ女性はいないでしょう。

現在では、太い足のことを大根足と言います。ところが、平安時代頃には、「大根足」は美脚を意味するほめ言葉でした。当時のダイコンは現在のように太いものではなかったので、大根足は、細くて色の白い足を表していたのです。さらに時代をさかのぼった古事記では、「大根のような白い腕」という表現が出てきます。

ところが、その後ダイコンの改良が進み、大きく太るダイコンが作られるようになりました。大根足が、現在のように太い足を指す言葉になったのは、江戸時代以降であると言われています。

古人が女性の美しい腕や足を形容したように、ダイコンは美しい白色をしています。

61ページで紹介したように、ニンジンのオレンジ色はカロテンという色素でした。それでは、ダイコンの白色は白い色素によるものなのでしょうか。

残念ながら白い色素はありません。太陽からの光は、さまざまな波長の光がありますが、このすべての波長が合わさると白い色になります。ダイコンの内部には無数の気泡があります、この気泡が、すべての波長の光を乱反射するのでダイコンは白く見えるのです。

牛乳が白く見えるのも、牛乳の中の微細な脂肪球が光を乱反射するためですし、空の雲が白く見えるのも、小さな水の粒が光を乱反射するためです。

ダイコンを煮ると、水分がしみ込んできて、気泡が追い出されてしまいます。そのため乱反射がなくなって、ダイコンの色は透き通るのです。

古来、白色は神聖な色とされてきました。白いキツネや、白いサルなど、色素を失った突然変異の白い生物は、昔から神の使いと神聖視されてきました。

ダイコンは「すずしろ」という別名で春の七草

にも読み上げられています。すずしろは「蘿蔔」と書きますが、「清白」とも書きます。もしかすると、日本人は色素を失った白いダイコンを珍重し、大切にしてきたのかもしれません。

もっとも、日本では白いイメージのあるダイコンですが、じつは赤色や紫色、黄色など、さまざまな色があります。

ヨーロッパでは、ダイコンは二十日ダイコンのように赤いものが主流です。また、中国でも赤や紫のダイコンが栽培されています。

日本のように白いダイコンばかり栽培しているのは、世界では珍しいのです。

色素を失った白い個体を珍重している作物は他にもあります。

「お米」です。

米は白いものというイメージがありますが、もともと古代に栽培されていたのは、色のついた赤米や紫米でした。この赤色や紫色の米が突然変異で白く変化したものが、現在の白米の祖先なのです。

祝い事のときには小豆で染めた赤飯を作りますが、古来の行事に赤飯を食べるのは、古代に赤米を食べていたことに起源を持つとも言われています。

メロンは野菜か果物か？

リンゴやブドウは果物です。一方、キャベツやニンジンは野菜です。

ところが、中には果物なのか野菜なのか判断に迷うものもあります。

たとえば、トマトはどうでしょうか。

トマトはサラダに使われますから、野菜のような感じがします。ところが、甘い冷やしトマトは、昔はよくデザートとして食べられていました。

そもそも、トマトはリンゴやブドウと同じ果実です。最近ではフルーツトマトと呼ばれる甘さの増したトマトも売られています。そう考えると、トマトも果物のような気がします。

野菜でも果物でも、どちらでも良いではないか、と思うかもしれませんが、そうでもありません。

かつて、アメリカではトマトが野菜か果物かという論争が法廷まで持ち込まれたのです。いわゆる「トマト裁判」と呼ばれる事件です。

裁判が行われたのは、十九世紀のアメリカでのことです。アメリカでは輸入する野菜に関税が掛けられることになりました。そのときに、西インド諸島から輸入していたトマトは果物だから、関税を除外してほしいと訴訟になったのです。

税金を取りたい農務省は、トマトは野菜であると主張しました。

税金を払いたくない輸入業者は、植物学辞典をもとに、果実とは「種子を含んでいる植物の一部」であることから、トマトは果物であると主張したのです。

その結果、最高裁判所において、「トマトは野菜畑で育てられており、他の野菜と同じようにスープに入っていたり、肉や魚といっしょに食べられることから野菜である」という判決が出されました。

それ以来、アメリカではトマトは植物学的には果物であるが、法的には野菜であるということになっているのだそうです。

野菜と果物の区別は、意外に難しいものなのです。

日本では、どうでしょうか。

欧米では、トマトは加工したり、加熱調理して食べることが多いのですが、日本では、生のままデザートとして食べられることも少なくありません。日本ではトマトは果物として食べられているような気もします。

日本では、草本性のものを野菜、木本性のものを果物として区別しています。つまり、木に実るものが果実とされているのです。

トマトは草本性の植物です。そのため、日本ではトマトは野菜として扱われています。

それでは、メロンやスイカはどうでしょうか。メロンやスイカは、デザートとして食べられています。メロンにいたっては、「果物の王様」と称されているほどです。

じつは、メロンやスイカは、キュウリやカボチャと同じウリ科の植物で、草本性の植物です。そのため、メロンやスイカは野菜として扱われています。

果物の王様も、その正体は野菜だったのです。

ただし、メロンやスイカは、果物と同じようにデザートとして食べられることが多いので、売り場では果物として扱われています。そのため、メロンやスイカは、「果実的野菜」という何とも不思議な分類で扱われています。

メロンは作るときは野菜、食べるときは果物

イチゴは野菜か果物か？

トマトやメロンは野菜であることがわかりました。

それでは、バナナはどうでしょうか。

バナナは果物に決まっていると思うかもしれません。これまで紹介してきた野菜と果物の定義に沿って考えてみましょう。

「果物」は木になる実と定義されています。バナナの木というように、バナナは木になるような気がします。

ところが、一般に、「バナナの木」と言われますが、バナナは木ではありません。実際には、バナナは巨大な草なのです。茎のように見えるのは、葉の付け根の部分の葉柄と呼ばれる部分が重なり合っているものです。

つまりバナナは、地面から巨大な葉が伸びて、まるで木のような姿をしているのです。

ということは、バナナは野菜なのでしょうか。

野菜と果実の正確な定義をいうと、野菜は「一年生草本類から収穫される果実」であり、果実は「多年生作物などの樹木から収穫される果実」とされています。

バナナは草本性の植物ですが、多年生で毎年、同じように果実がなります。そのため、バナナは果実とされているのです。

同じように、パイナップルも草本性ですが、多年生で実が収穫されるまでに何年もかかるため、果物に分類されています。

複雑なのはイチゴです。

イチゴは野菜でしょうか。それとも果物なのでしょうか。

イチゴはフルーツパフェに入っていたり、ケーキの上に乗っていたり、明らかにデザートとして食べます。感覚的には、イチゴはいかにも果物という感じがします。

トマトやメロンは、野菜として分類されていましたが、トマトは、ナスやピーマンと同じナス科の野菜ですし、メロンはキュウリやカボチャと同じウリ科の野菜です。こうして仲間の植物を見ていくと、なるほど、トマトやメロンは野菜の仲間だと納得できます。

では、イチゴはどうでしょうか。

イチゴは、リンゴやモモ、サクランボと同じバラ科の植物です。イチゴの仲間の植物は、どれも立派な果物ばかりです。やはり、イチゴは果物のような感じがします。

ここでもう一度、定義を確認してみましょう。果実は草本性の植物で、果物は木本性の植物でした。リンゴやモモは木本性ですが、同じバラ科でもイチゴは草本性の植物です。この定義ではイチゴは野菜になります。

ところが、バナナやパイナップルのように、草本性でも多年生のものは果物として扱われていました。イチゴは多年生で、毎年、実を成らせます。そう考えるとイチゴは果物に分類されても良さそうです。

何とも複雑な話ですが、結論を言うと、イチゴは野菜に分類されています。

イチゴは多年生ですが、毎年、苗を植え替えて一年生の作物と同じように栽培されます。そのため一年生作物と見なされて、野菜に分類されているのです。

ただし、イチゴはデザートとして食べられることが多いので、メロンと同じように売り場では果物として売られていて、「果実的野菜」の一つとされています。

そもそも、果物や野菜という分類は、人間が勝手に決めたものです。植物にとっては、どうでも良い話なのでしょう。植物の生き方は、人間が考えているよりも、ずっと臨機応変で、自由なのです。

イチゴのつぶつぶの正体？

毎月二二日は、ショートケーキの日です。どうしてでしょうか。

カレンダーを見ると、その理由がわかります。二二日の上は、一五日があります。そうです。上に一五（イチゴ）が乗っているから、ショートケーキの日なのです。

このように、ショートケーキには、イチゴが欠かせません。

そして、イチゴといえば、真っ赤な果実に、かわいらしいつぶつぶが特徴的です。

ところで、このイチゴのつぶつぶは、何なのでしょうか。

このつぶつぶは、イチゴの種のように思えます。しかし、リンゴやカキなどを見ると、種は果実の中にあります。イチゴのように果実の表面に種があるというのは、すこしおかしな感じがします。

じつは、私たちが食べているイチゴの真っ赤な部分は、本当の果実ではありません。

イチゴの赤い実は、花の付け根の「花托」と呼ばれる部分が太ったものです。

たとえば、「好き」、「嫌い」と一枚一枚花びらを取っていくコスモスの花占いで、花びらをすべて取り終わった時、花びらのついていた花の台が残ります。あるいは、タンポポの綿毛を全部吹き飛ばすと台の部分が残ります。これが「花托」です。イチゴの赤い実は、この花托の部分が肥大してできているのです。

それでは、イチゴの本当の実はどこにあるのでしょうか。

じつは、花托の上にできたつぶつぶこそが、イチゴの本当の実なのです。

いちごのつぶをよく見ると、何か棒状のようなものがついています。じつは、これがめしべの跡です。果実は、めしべの根元にある子房が発達してできますので、このつぶこそが、イチゴの本当の果実なのです。

もっとも、果実は鳥に食べさせるために果肉を太らせますが、イチゴは花托をおいしく太らせる

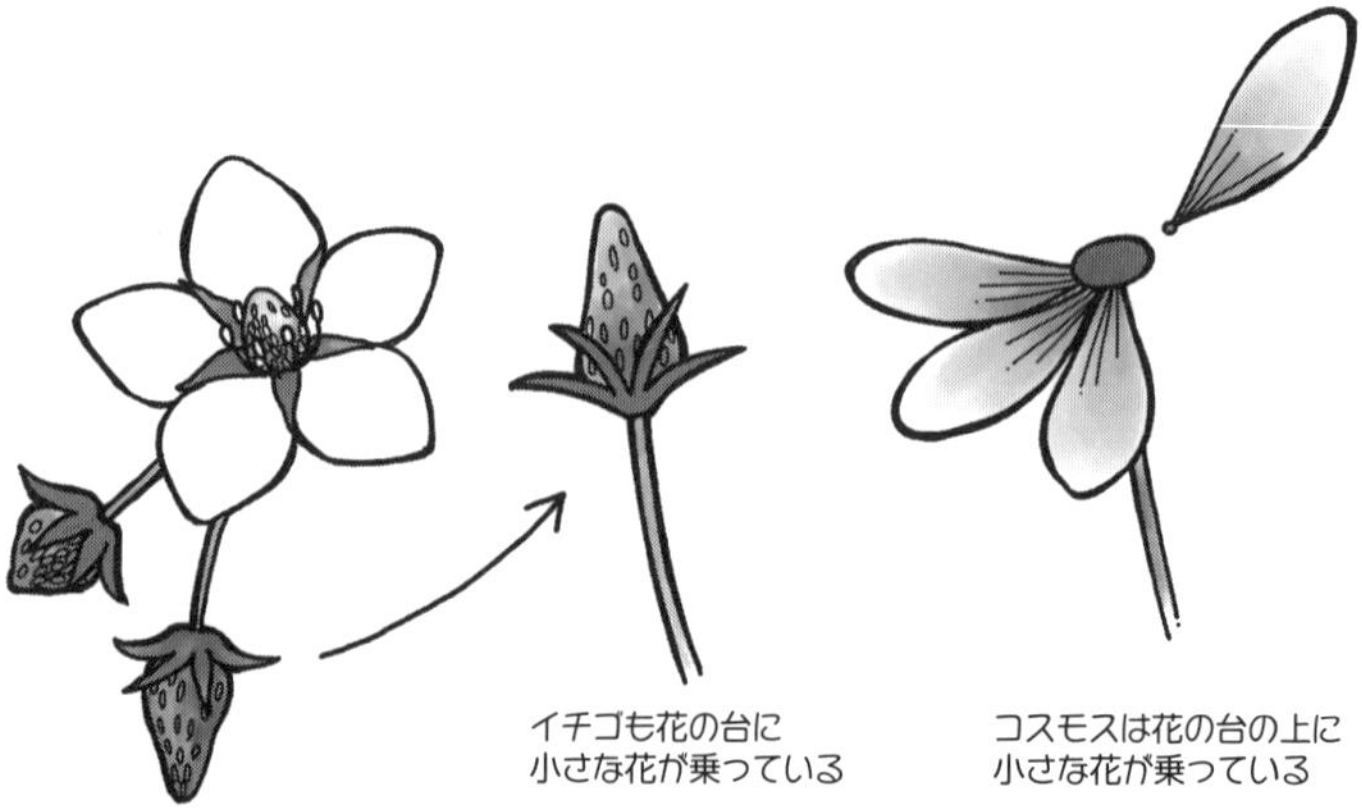
イチゴも花の台に
小さな花が乗っている
コスモスは花の台の上に
小さな花が乗っている

イチゴは花托が太る

ので、本当の果実を太らせる必要はありません。そのため、イチゴは、この小さなつぶの中に、たった一つずつの種が入っているだけです。果実といっても、イチゴの果実は種子をくるんでいるだけの存在なのです。

そのため、イチゴのつぶつぶは、ほとんど種のようなものと言っていいでしょう。実際に、このつぶを播くと、イチゴの芽が出てきます。

イチゴを縦に切ってみると、白い筋が見えます。この筋をよく見てみると、一本一本の筋が、一つ一つのつぶにつながっていることがわかります。そう、この白い筋は、イチゴの本当の果実であるつぶに水分や栄養分を送るためのものなのです。

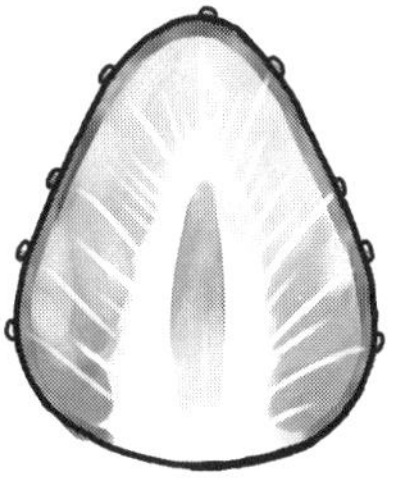

あとがき

スタジオジブリの映画「となりのトトロ」の一場面に、こんなセリフが登場します。

「おばあちゃんの畑って、宝の山みたいね。」

野菜畑には、キュウリやナス、トマト、トウモロコシなど、色とりどりの野菜が成っています。まさに宝の山のようです。

私にも思い出があります。

子どもの頃、夏休みになると祖父母の野菜畑で、野菜のもぎとりを楽しみました。もぎたてのトマトは何とも言えずおいしかったものです。大好きなトウモロコシは、ゆでたてを二十本も食べた覚えがあります。

大人になった今でも、その味が忘れられなくて、猫の額のような庭に畑を作ったり、プランターを並べたりしています。自分で育てると、茎が出たり、葉っぱが出たりして育っていくようすも、不思議なことのように感じられます。野菜の花もなかなか美しくて魅力的です。

農家の方の畑を訪ねることも、楽しみの一つです。

農家の方の畑では、お店では売っていないようなさまざまな野菜が育てられていることもあります。昔から育てられている在来の野菜も個性的です。モチモチしたトウモロコシや、昔は水筒代わりにしたという水分たっぷりの地這いキュウリ、炭火で焼いて食べる実のしまったジャガイモなど、思いも掛けない野菜に出会うこともあります。

野菜を売るお店は八百屋と言います。八百とは「たくさんの」という意味です。八百屋には多種多様な野菜が売られています。品種も産地もさまざまです。きれいに並んだ野菜を眺めながら、野菜畑に思いを馳せるのも楽しいものです。

野菜の世界は、本当に宝の山です。野菜には、まだまだたくさんのミステリーがありそうです。

野菜っておもしろい、野菜って楽しそう。本書を読んで、もしそう感じてもらえたとしたら著者としてこんなにうれしいことはありません。

最後に、本書の出版にあたってご尽力いただいた東京堂出版の名和成人さんに厚くお礼申し上げます。

略歴

稲垣栄洋《いながきひでひろ》

1968年静岡市生まれ。岡山大学大学院修了。農学博士。農林水産省を退職後Uターン。農業研究に携わる傍ら、身近な自然観察にいそしむ自称「みちくさ研究家」。一男一女の父。主著に『雑草の成功戦略』(NTT出版)、『身近な雑草のゆかいな生き方』『蝶々はなぜ菜の葉にとまるのか』(草思社)、『働きアリの2割はサボっている』『一晩置いたカレーはなぜおいしいのか』(家の光協会)、『仮面ライダー昆虫記』(実業之日本社)、『キャベツにだって花が咲く』(光文社)、またペンネームで『植物という不思議な生き方』『おとぎ話の生物学』(PHP研究所)、『東海道新幹線 車窓で楽しむローカルグルメローカルグルメ事典』、『赤とんぼはなぜ竿の先にとまるのか?』(東京堂出版)など多数。

本文デザイン&イラスト　佐藤友美

トマトはどうして赤いのか? ― 身近な野菜を科学する

2012年8月25日　初版印刷
2012年9月10日　初版発行

JASRAC　出1210267-201

著　者　稲垣栄洋
発行者　皆木和義
発行所　株式会社 東京堂出版　http://www.tokyodoshuppan.com/
〒101-0051
東京都千代田区神田神保町1-17
電話　03-3233-3741
振替　00130-7-270

印刷所　東京リスマチック株式会社
製本所　東京リスマチック株式会社

ISBN978-4-490-20790-3 C0045